ZON

Bárbara Paz

Mr. Babenco

Solilóquio a dois sem um:
Hector Babenco e Bárbara Paz

Acordo e me viro para te abraçar. Só o que encontro é um HD ao meu lado. Você deixou gravadas todas as vozes-silêncio e imagens para minhas retinas. Às vezes choro, às vezes sinto você em mim. Uma voz que diz: reage, reage. Você virou uma voz. Meu HD que carrego para todos os lados aonde vou.

Com ele costuro você. Sinto sua dor e sua vontade de estar vivo. Seu humor, seu amor e nós. Sempre nós. Uma mão que segura a outra.

Sentimos essa morte de perto e brincamos com ela. Como você me disse: eu já vivi a minha morte; agora só falta fazer o filme da minha morte, e eu te pergunto: como será? E você diz: acho que será um solilóquio!

E inventávamos mais uma vez as outras mortes que ainda viriam.

Fiz tudo o que você me pediu. Só errei a gravata, você pediu a de bolinha e eu coloquei a cinza. A Cinemateca estava linda, o dia estava ensolarado, entravam luzes por todos os lados, teve champanhe, música e vinho tinto. Todos estavam sorrindo e de alguma forma vivos e falantes. Faltava você chegar. Seus amigos vieram, seus inimigos também (você falaria isso), estou ouvindo sua voz...

Até seu ex-patrão do cemitério do Morumbi veio. Sim, era verdade, você realmente foi o melhor vendedor de túmulos. As histórias que você contava aos poucos vão fazendo sentido e se tornando verdadeiras. Afinal, você nunca contava uma história do mesmo jeito. Dizia que sempre tem que se mudar um pouco e inventar coisas novas... meu amor.

Seu solilóquio terá todo o lirismo com que você regeu sua vida. Assim como prometi pra você.

BÁRBARA PAZ

Corredor parte I

Início sem som

15:21

BÁRBARA: *Hector? Pode falar?*

HECTOR: Sim, 1, 2, 3, 1, 2, 3, 4, 5, 6, estou aqui. Perfeito, gracias.

15:22:40

Você estava falando que você é judeu.

Eu sou judeu, carrego esse fardo… Sou judeu, de pai e mãe, mãe polonesa, pai argentino, filho de gaúchos judeus e cresci não entendendo muito bem o que significava ser judeu a não ser por algumas festas religiosas, onde havia reuniões familiares, onde se comiam comidas tradicionais da Europa Central e os sustos que tínhamos pelo fato de sermos judeus. Éramos sempre de alguma forma recordados, lembrados, em português, de que nós éramos diferentes. Tive um irmão, Norberto, me lembro de que, na sala de aula dele no *Kinder Garden* houve umas rajadas de metralhadora feitas da rua que por sorte não pegaram em nenhuma criança porque estavam no recreio. Algumas ofensas que alguns adultos faziam, te chamando de "judeu de merda", e vendo que meu pai não reagia, tinha medo de reagir, ao mesmo tempo era o bom vizinho, modelo que eu também repetia na escola por medo de ser identificado como judeu, tentando ser amigo dos mais fortes e dos mais poderosos, para não ser identificado... Basicamente isso, e, enfim, alguns sonhos recorrentes, relacionados com circuncisão... Formações que tenham assim como sabedor que eu sou de uma religião judaica, ela veio muito mais de um mundo exterior pra mim, do que de mim para um mundo exterior.

Quando fiquei um pouco mais adulto é que tive a oportunidade de ir pra Israel, como a maioria dos meninos e das meninas da minha geração fazia. Havia este modelo romântico da vida no *kibutz*. Das noites ao redor da fogueira, comendo batata quente, sexo livre, era uma série de ciladas reais, nas quais muitos caíram. E eu, por sorte do destino ou por perspicácia minha, inteligência minha, eu preferi não aceitar esse modelo. Mais do que não aceitar, eu rejeitei, e preferi sair da cidade e começar uma longa jornada que me trouxe até este momento em que estou falando com você.

15:26:08

Você saiu da Argentina e veio direto para o Brasil?

Eu vim para o Brasil de ônibus. Vivi, passei dificuldades, como todo imigrante passa: morar em pensão, não conhecer ninguém. Mas aos poucos eu fui me armando, aos poucos eu fui conhecendo gente nos teatros, enfim... Nem me lembro como começaram as amizades; mas, em todo o caso, todas as amizades que eu fiz naquela época – e que não foram poucas – foram amizades lindas e que ainda estão na minha memória.

Enfim, quando cheguei ao Brasil, a primeira coisa que fiz foi tentar ler os poetas brasileiros: Jorge de Lima, Raul Bopp, Drummond... Enfim, poesia sempre foi o meu primeiro foco.

Fui rejeitado pelo Guimarães Rosa porque eu não entendia nada, porém caí de paixão total pelo Dalton Trevisan e o fenômeno [Jorge] Mautner, naquela época com o livro dele, *Kaos*, com quem eu me sintonizava muito, apesar de não conhecê-lo.

Até que aconteceu o momento em que senti que aquela vida e aquele momento que eu estava vivendo e a maioria dos amigos que tinha (filhos de famílias consolidadas, com recursos, com fins de semana na praia) era algo que não estava dentro do meu padrão de sonho, do meu padrão de fantasia. Do que eu seria quando eu fosse grande. E como achei que quando fosse grande eu queria ser um grande herói existencial, foi aí que empreendemos uma viagem, Miguel e eu, para a Europa, para tentar viver onde não éramos conhecidos. Onde não tínhamos nada e numa época na qual ainda se podia viver de uma forma mais errante, mais desestruturada, uma época mais épica, mais romântica, na qual você poderia ter profissões. Era tudo muito menos controlado, tinha muito mais acesso a tudo. Não havia tantos ritos políticos, sociais, de carteira de identidade, de permissões de trabalho.

A gente sabia que para entrar na Inglaterra você tinha que ter pelo menos cinquenta *pounds*, e eu nunca tive.

Por isso eu nunca tinha ido pra Londres, só por isso, mas a gente passeou muito pela França. Eu especialmente, porque o Miguel logo em seguida arranjou uma namorada e foi embora com ela. E eu fiquei só, com dezoito anos, sem falar nenhuma língua, a não ser um pouquinho de francês, pouquíssimo. E empreendi a minha caminhada indo pelas estradas procurando alguém que me levasse para algum lugar, tentar achar uma comida, um lugar pra dormir, e foram alguns anos desse jeito, em que eu estive na França, estive na Bélgica, estive na Holanda e muito tempo na Espanha.

Enfim, foram anos de construção, anos de formação.

15:30:28

Na França você teve uma história engraçada de alguém que te ajudou e te levou pra dentro do apartamento...

Em Paris?... Eu trazia um endereço de uma pessoa que morava num lugar que era perto da Place Pigalle, e... (*Ri*) eu, naquela época, dormia na Rue de Victor Masse, que era um albergue da juventude, era um grande quarto, do tamanho deste galpão, onde dormiam cento e poucas pessoas. Eram camas de três andares, eram imigrantes africanos... Enfim, havia muitas tribos étnicas e havia muita disputa. Havia brigas, roubos. Eu presenciei coisas muito fortes lá, mas enfim... Tive toda a minha roupa roubada, meus sapatos trocados, enfim, aquilo lá era... Parecia um filme do Jacques Tati feito pelo Brian de Palma porque era um caos realmente, tudo: roubos, agressões físicas e, ao mesmo tempo, eu procurava esse amigo meu que eu achava que se chamava Pigalle (*ri*) e eu não sabia que Pigalle era o bairro onde ele morava. Então, obviamente, nunca encontrei esse amigo que tanto procurei. Ah... mas eu conheci outras pessoas...

15:32:05

Alguém que te recebeu em casa, que te deu um café...

Então, quando cheguei a Paris, eu cheguei de carona, com um caminhão que me pegou em Angulaine, que é no sul da França, onde eu dormi na estação de trem por um par de noites. Esse caminhoneiro disse que me traria a Paris com a condição de que eu não falasse no trajeto. Parece ficção? Mas não era ficção, aconteceu desse jeito.

E foi um dos monólogos mais longos que eu tive na minha vida ao longo de toda essa viagem, que deve ter demorado, sei lá, seis horas, oito horas, dez horas, foi um monólogo imenso que eu tive com Jack Kerouac, que era meu alter ego.

Eu conversando com ele durante aquele tempo todo, e discutindo com ele.

Ele falava comigo, eu falava com ele, nossos diferentes pontos de vista, experiências, enfim.

E quando chegamos a Paris, nevava, ele me deixou num lugar chamado Place Blanche e eu não sabia por onde ir, acho que eram nove ou dez da noite. E eu andando pela rua. Não fazia tanto frio porque quando neva o frio é menor. Mas meus sapatos eram muito finos, meu pé estava totalmente molhado. Mas, até aí, tudo bem, quando a gente é menino, essas coisas a gente nem sabe, a gente se lembra delas; mas, no momento, nem presta atenção.

E vi um par de pessoas empurrando um carro. Eu, com minha pequena mala, me aproximei e decidi ajudar eles a empurrarem o carro pra pegar, porque o carro não pegava. Estava provavelmente sem bateria. E o carro pegou e ficou um cara só na calçada que me olhou e me perguntou quem eu era. Até aí eu entendi e falei que não tinha onde dormir. Disse que era sul-americano, e o que eu me lembro agora é que estávamos numa cozinha, repleta de pratos sujos e coisas que havia muito tempo não se limpava, e ele fritando umas batatas numa espécie de cesta que parecia uma rede. Fritando as batatas no óleo e tomando um vinho. Depois ele me jogou uma... Ah, me mostrou a casa, que era também totalmente uma casa que há anos ninguém limpava.

E ele me abriu uma porta que me pareceu uma porta mágica, e era um dos dormitórios do corredor onde havia um berço de criança coberto de tule, brinquedos de criança em volta, e ele falava muito e eu não entendia nada. Mas acho que entendi que tinha ocorrido a morte ou o abandono de uma criança que morava naquele quarto.

Então eu não entendi se a criança morreu, se ficou com a mãe, se a mãe... Eu não sei nada. Sei que depois ele me jogou um colchonete no corredor e me lembro que eu capotei, porque estava muito cansado. Tínhamos tomado um pouco de vinho e, de repente, minha próxima informação, minha próxima memória me diz... Eu vejo ele em pé na minha frente de pernas abertas gritando, totalmente ébrio, totalmente bêbado, me perguntando se eu era cristão: "*Est ce que vous êtes un chrétien?*". E eu entendia que ele me perguntava se eu era um cretino e eu respondia que não, que não era um cretino, que era um cara legal. Que eu era um cara que tinha certas predileções, que adorava os frutos da vida, enfim, o sol, o mar, a mulher, as frutas... e ele se exasperava cada vez mais...

E só anos mais tarde, quando falei francês, é que vim a entender que o cara me perguntava se eu era um cristão e eu achei que ele me perguntava se eu era um cretino.

Mas ele me colocou na rua. Me lembro que estava clareando o dia e foi uma experiência magnífica. Hoje que vejo, porque me aconteceram coisas muito bonitas naquela madrugada inesquecível.

— — —

Então, a ideia da tragédia, ela está muito associada ao momento depois. Que é sempre o momento da descoberta de algo novo. E eu acho que é essa a situação, que tem essa genética, começa de lá, e que, às vezes, tem me segurado a barra nos momentos mais difíceis que eu enfrentei com problemas de saúde. Foi o fato de saber que nada será tão ruim como a felicidade do próximo momento, onde encontrarei algo que não sei o que é e que vai me fazer esquecer aquele momento fodido que passei.

Tudo isso associado a uma sensação muito difícil de descrever, e que só descobri muito recentemente, ouvindo essa história de alguém que deu um conselho a alguém que eu incorporei para mim, também porque eu achei que me pertencia.

É que eu nunca tive medo, acho que enfrentei as coisas mais difíceis sem medo, apesar de ser uma pessoa muito medrosa para uma série de coisas... muito medrosa, muito medrosa. Muitas coisas me dão medo e outras não me dão medo em absoluto. Então isso é curioso, no mínimo curioso.

15:38:42

Do que você sobrevivia na Europa?
O que foi o seu trabalho?

Ah, fazia de tudo. Em Paris, primeiro eu trabalhei com um senhor anarquista, antifranquista que tinha uma empresa de pintura de paredes, era um senhor espanhol, baixinho, muito bonachão, mas muito severo também, que tinha uma tropa de imigrantes que pintavam fachadas e interiores de casas. E, obviamente, como eu não era um profissional disso, me deram a tarefa mais simples, que era pintar com cal, com brocha, na época. Porque não havia rolo, você pintar de branco paredes montado na escada, e enfim...

Guardo lembranças. Me lembro que ele oferecia pra todos os funcionários, na hora do almoço, um chope, que era tudo o que se podia beber. E esse chope ele me ensinou a beber com um pouquinho de granadin, que é uma espécie de groselha. Então, curioso, às vezes, quando vou tomar cerveja em algum lugar, me dá vontade de me lembrar daquele gostinho doce da groselha misturada com o amargo da cerveja, é uma mistura engraçada e a cor é muito bonita. E trabalhei em várias coisas, trabalhei numa empresa de limpeza que limpava escritórios à noite, depois do expediente. Aí trabalhava das seis à meia-noite ou das seis às duas. Também era um grupo de espanhóis expatriados que se encontravam num café chamado La Palettte, que fica na Rue de Seine e que hoje é um lugar turístico. Mas, naquela época, eram pessoas mais intelectuais, de esquerda, que tinham fugido da Espanha e não podiam voltar, portugueses também, e como eu falava espanhol, porque sou nascido e educado em castelhano, e também falava português, pelo ano que tinha passado no Brasil, eu me relacionei muito bem com essas pessoas e foram essas pessoas que me ajudaram a conseguir emprego.

15:41:08

E onde você foi parar para fazer figuração?

Foi na Espanha, dois anos depois. Em Paris, as coisas estavam indo muito mal, não conseguia sair dessa...

Eu fui trabalhar de figurante. Porque não tinha onde cair morto. Estava, me lembro, morando em Madri em condições muito precárias. Estava morando em uma pensão que eu tinha pago uma semana adiantado. Em *la calle* Fuencarral, em pleno centro de Madri. Segundo andar, uma escada, um prédio infecto.

E me lembro de quando acordei de manhã, fui ao banheiro e vi um jornal, que não era o do dia. Vi um anúncio, convidando os argentinos que moravam ou que estivessem em Madri para ir tomar um coquetel na embaixada argentina, porque era o Dia da Independência.

E eu tomei um banho, pedi um ferro emprestado, passei um ferro na única calça que eu tinha, no meu único paletó e me mandei pra lá, a pé. Me lembro que estava muito quente, era 25 de Maio, que é equivalente ao 7 de Setembro no Brasil, e cheguei à embaixada.

Acontecia um grande coquetel, uma grande comida, e encontrei uma mulher, que me disse: "*Babenco, que haces usted aquí?*", e eu falei: "*Señora De Clara!*". Ela tinha sido minha professora de castelhano na escola primária.

Eu era muito amigo de suas filhas. Uma se chamava Virginia e a outra Verônica. Perguntei *como estaba sus hijas* e *tatata y usted qué estás haciendo aquí?* E eu falei "Quero fazer cinema.", foi a segunda vez que respondi a essa pergunta, depois da minha avó.

E ela disse: "Meu marido é produtor de cinema, tem uma empresa que faz coproduções com a Itália. Vou falar com ele, venha amanhã de manhã tomar um café em casa que eu te apresento a ele."

Na manhã seguinte eu fui, ela me apresentou ao marido, o nome dele era Victor Rica, me lembro até hoje, tinha uma empresa de coprodução de *westerns* entre Itália, Espanha e França, e eu entrei pra trabalhar de figurante. Durante um ano e meio eu vivi sendo figurante. Fiz filme de bangue-bangue, de guerra, fui índio em vários filmes, aprendi a andar a cavalo, a tirar rápido o revólver da cartucheira, fui figurante num filme dirigido por Orson Welles... *A Man of All Seasons,* com Paul Scofield, foi filmado na Espanha... E era muito interessante, você estar sendo figurante, dirigido por pessoas que você nem sabia que tinham o nome de "assistente", e ver o Orson Welles a dez, quinze metros, indo pra lá e pra cá.

Eu já tinha visto todos os filmes dele, absolutamente todos, e alguns deles mais de uma vez. Então era curioso, não ter a menor possibilidade de um diálogo, de poder fazer uma pergunta para que ele entendesse que você sabia quem ele era. Até que um dia me cansei daquilo e fui embora, mas daí já é outra história.

15:41:09
___

Mas o que você queria fazer?

Ah, eu queria ser diretor de cinema.

Sempre?

Sempre.

Quando veio esta primeira...

... acho que foi quando a minha vó me perguntou o que eu seria quando fosse grande. Só pra tirar ela de cima e não me encher o saco, eu falei que queria fazer cinema. Eu nem sabia o que significava fazer cinema, não tinha nem ideia. Nunca tive uma informação. Uma vez eu vi uma filmagem à noite em Mar del Plata, um longo *travelling* do filme dirigido por Barden, que é o tio ou o pai do Javier Barden, em que tinha Alfredo Alcon, grande ator de Leopoldo Torres Nilson. Havia um grande trilho, como se fosse de trem, com uma câmera gigante blindada numa grande caixa de metal que, quando a gente vê hoje o tamanho das câmeras, não pode imaginar que, quarenta anos atrás, as câmeras pesavam quarenta quilos, trinta quilos, é um absurdo. E eu vi esse *travelling*, no qual ele vinha, vestindo uma capa de chuva muito elegante e fumando um cigarro, vinha assim andando e o *travelling* vinha com ele, aí ele se encontrava com uma mulher... e aquilo me fascinou muito. Eu tinha quinze anos.

Depois teve um filme que rodaram com o Vitorio Gassman na praia e foi uma experiência chata, porque eu fiz um figurante e fazia muito frio e tínhamos que ficar de maiô na praia brincando como se estivesse sol. E era um frio de rachar. Realmente, era pleno inverno e não foi legal, muitas horas de espera, não achei nenhum encantamento, não vi nada.

Você lembra o primeiro filme que assistiu na vida? Ou o que te marcou?

Ah não, há uma grande diferença entre o primeiro filme que se vê e aquele filme que a gente leva dentro da gente. Imaginando que nunca, jamais, a gente poderá sentir algo tão forte como aquilo que sentiu naquele momento.

A primeira imagem que eu tenho de cinema foi com seis ou sete anos num cinema no subúrbio de Buenos Aires chamado Quilmes. Havia um cinema na Calle Central. Se eu não me engano, se chamava Riv... e eu me lembro que era um filme em branco e preto e havia uns meninos mais velhos do que eu sentados comigo. E eu já me perguntei muito como eu pude ter acesso a esses meninos maiores, que não eram da escola, eram filhos de um vizinho que tinha uma motocicleta, uma motocicleta que durante muitos anos eu jurei, imaginei, sonhei em banhá-la em gasolina, colocar fogo e destruí-la. Por algo que esses meninos que moravam nessa casa teriam feito comigo. E eu nunca me lembro o que eles teriam feito comigo. Podem ter me ofendido como judeu ou coisa assim. Mas foi algo mais forte de que eu não tenho uma memória precisa, que era ver esse filme em branco e preto em que uma moça com uma saia muito rodada, um cinto preto muito grande, seios marcados por um suéter, mas uma figura muito delicada, que parecia Grace Kelly, não era uma *vamp*, era uma moça estudante numa praia, numa dessas pequenas colinas que antecedem a areia do mar, sendo perseguida por um carro conversível, com alguns meninos fazendo chacota e iluminando-a com um farolete que alguns carros tinham à esquerda. Onde nós temos o retrovisor, havia uma luz que você manipulava com a mão na direção. E eu me lembro de ver essa menina correndo desesperada desses meninos e de ver vários desses meninos que estavam comigo se masturbando, batendo uma punheta. E eu me lembro que eu acho que foi a primeira vez que eu senti algo diferente, eu não sei o quê, era muito pequeno. E depois me lembro dos meninos lavando as mãos e fumando no banheiro do cinema e me lembro que eu não fumei porque era muito pequeno. E depois nós fomos embora dessa cidade.

Então eu tenho o registro muito preciso da idade na qual isso aconteceu porque sei exatamente a idade em que nós saímos daquele subúrbio, quando fomos assaltados e, na penteadeira no quarto da minha mãe estava escrito "Judeus, vão embora, nós não os queremos aqui".

Meu pai tinha uma alfaiataria, que ele tinha vendido. Naquela época eu acho que não havia banco, não sei como que era, não havia cheque. Eu sei que entraram num domingo e as pessoas roubaram o dinheiro.

15:47:24

Foi assim que te introduziram ao cinema?

O que te digo é que a primeira imagem que eu vi na minha vida, porque não havia televisão, que eu me lembro, era esse filme que eu acho que deve ser um filme do Nicholas Ray ou Elia Kazan, um clássico da década de 50, deve ter sido 1950, 1951 ou 1952, quer dizer que eu tinha seis ou sete anos. 1952 é a morte de Evita, e nós fomos embora um ano depois da morte dela. Em 1953... Eu sou de 1946, tinha sete anos, então.

É muito forte porque têm muitas coisas associadas a esse momento. Tem tudo, a excitação, o proibido, a masturbação, o encantamento, e eu já me perguntei várias vezes, mas é uma pergunta que não tem resposta, e se tem, ela é manipulada, então não vale. Senão é uma vontade inconsciente de repetir a sensação daquele momento que tem me impulsionado a querer fazer filmes e não outra coisa, escrever, pintar, ser ator, que era uma coisa que me dava uma certa alegria: brincar de inventar.

49:12:00

Fez teatro?

Fiz teatro infantil como ator, só teatro infantil. Fazia uma árvore e fazia um touro. O touro era engraçado. Era muito rudimentar tudo, era muito primário. Tudo isso até o dia que, já adolescente, decidi ir embora da Argentina.

Eu não queria mais aquela família, aquele bairro, aquela forma de pensar. O universo social onde eu morava, onde eu frequentava com os meus colegas de escola. Havia muitos meninos que pertenciam ao grupo nacional fascista, de quem eu tinha que esconder que eu era judeu... E todos eles pró-fascistas, pró-Hitler. Estamos falando em catorze, quinze, dezesseis anos depois. Muito mais, vinte anos depois do final da Segunda Guerra Mundial, e esses grupos eram muito fortes, e havia uma agressão contida, e eu não me sentia confortável. Minha família era uma coisa que não me satisfazia, porque era um pensamento e uma forma de existir muito precária que contrastava muito com os livros que eu lia, com os heróis que eu buscava.

49:00

A literatura e a música clássica sempre fizeram parte da sua vida.

Então, tudo isso estava muito distante das coisas que eu queria. Tanto assim que o meu primeiro substituto de pai foi um senhor catalão que era violoncelista, exilado também da época de Franco, que era um violoncelista da orquestra local da cidade de Mar del Plata, e que morava sozinho porque a mulher dele era professora em Buenos Aires. E foi a primeira vez que eu vi alguém que as pessoas diriam "é um boêmio!", que era uma forma de dizer que uma pessoa era diferenciada, mais iconoclástica.

E seu pai?

Meu pai era um pai de família, infeliz porque se casou muito jovem, e nunca conseguiu dar à família o que ele queria. Nunca soube o porquê, se foi por incompetência, porque tinha algum vício secreto, jogava ou alguma coisa assim, mas sempre faltava algo pra fazer meia dúzia. E era bravo, era colérico às vezes...

Você não brigou com ele?

Não, não briguei. Ele sofria muito e eu achei que ele não aprovava, muito pelo contrário, reprovava tudo o que a mim me interessava. Então eu comecei a ter uma vida dupla na frente dele. Uma forma era como eu me relacionava com ele e outra forma era o que de fato me interessava e eu fazia. E tem passagens dolorosas, como eu ter juntado dinheiro ou ter roubado dinheiro do caixa da loja e ir a alguma loja de música. Comprava coisas de música clássica ou de jazz que me interessavam, e voltando de ônibus pra casa diante do medo de meu pai me perguntar de onde eu poderia ter tido recurso pra comprar essas coisas, eu abandonava no ônibus, então a perda era dupla porque eu ainda sentia falta de algo que eu tinha comprado. Enfim, mas cada um tem a sua história, não há muita peculiaridade em contar essas coisas.

Há sim, porque é a sua história e é ela que eu quero escutar agora. A do ônibus e de como o seu pai era um cara tão diferente de você, enfim.

Até o dia em que o grupo teatral que havia na cidade, de quem nós éramos rivais, nós éramos uma linha muito mais nacionalista, de esquerda, tentando fazer; nós fazíamos clássicos franceses, sei lá, Camus, mas sempre com uma tendência questionadora e alguns (sainetes) argentinos importantes que rimavam muito com algumas coisas de Pirandello, mas muito locais, que envolviam tangos ou música folclórica argentina. E havia um grupo de elite que só fazia uma peça por ano e ficava só no verão para os turistas assistirem. Que era, digamos, o grupo burguês. E nós éramos o grupo proletário que fazia teatro o ano inteiro. A população da cidade podia ver aquele teatro.

Nós vivíamos porcamente, pobremente, éramos um teatrinho dentro de uma galeria, no subsolo. Numa galeria que se chamava Sakoa. E eu era um menino que fazia café, dava a letra, lia com os atores, ia fazer as compras, varria o cenário, preparava tudo.

15:54:55

Como você se enxergava? Como você se via? Quem você era? Olhando agora.

Eu acho que eu era um curioso, era um *invasive*, estava sempre num lugar que não me chamavam. Tentando entrar nas conversas dos grandes. Eu sempre estava numa cadeira sentado meio metro atrás, ouvindo absolutamente tudo, sempre fui muito precoce. Fui uma pessoa que, desde menino, tive acesso a conversas de gente grande. Então, às vezes, eu possuía um repertório, um senso crítico, uma posição ideológica, um pensamento próprio, esse que é o certo, um pensamento a respeito de coisas que pareciam definitivas – e que o eram de alguma forma... Só que eu era um garoto de quinze, dezesseis anos que não tinha vivido nada. Que nunca tinha ido numa festinha e dançado com alguém. Então eu pulei uma etapa da minha vida. Uma etapa entre os catorze e dezoito anos, vivi como se eu tivesse 28, 29, 30, enfim, foi dessa forma, eu nunca poderei recuperar aqueles anos que eu não vivi, pois eles já passaram e você não repete.

56:44:00

Mas você foi embora fugido?

Não fugido, houve várias forças que me levaram a ir embora de Mar del Plata. Uma delas foi quando eu vi no grupo contrário ao nosso, no grupo burguês de teatro, uma peça do Tennessee Williams chamada *Glass Menagerie*, que é *Zoológico de Cristal*, como se chamava na Argentina, porque tem as pedrinhas...

A margem da vida.

"A margem da vida" porque tem os animaizinhos de cristal, que é o personagem da irmã do personagem principal e aquele monólogo que ele faz no corredor ao lado da cozinha vendo a mãe e a irmã, em que ele pede desculpas e diz que ele tem que partir, que ele não pode mais ficar ali.

Eu na época não soube que era isso mas, hoje, acho que foi o mais forte impulso que eu poderia imaginar que me levou a querer abandonar tudo. Aquela família que ficou na margem da vida era tudo o que eu tinha, era a minha família, meus parentes, o lugar onde eu fazia teatro, meus amigos da teosofia com outro grupo que eu frequentava, com Chris Namurte e outro grupo de poesia, um amigo meu que me introduziu ao jazz, um outro amigo meu que me introduziu à música clássica, enfim tudo...

Eu queria partir daquilo tudo e partir para uma construção minha. E, com os anos, sempre acabei dizendo que era porque se aproximava o exército e eu não queria fazê-lo, que era obrigatório, o que também é verdade. E também porque descobri muito cedo a literatura dos *beatniks*, que eu, como toda uma geração de pessoas que ficaram muito impulsionadas a querer encontrar a estrada para caminhar. Um processo de construção de vida. Só que, contando hoje, tantos e tantos anos depois, cinquenta anos depois, soa um pouco oco, soa muito analisado e como um pedaço de memória estanque. Mas na hora, você não tem a menor consciência do que você está fazendo, não tem a menor lucidez. Enfim, aquilo que está acontecendo é aquilo que você está querendo fazer.

Ir numa rodoviária e comprar um bilhete para o Brasil, que era um lugar mais próximo que poderia me interessar a ir. Não tinha absolutamente nenhuma referência do Brasil, nada, nada, nada. A não ser umas tias que mandavam, às vezes, com a minha avó, algum presente do Brasil, e eram sempre coisas americanas, uma caneta Parker, Bic Parker, uma camisa estampada do New York Times, que você lavava e não precisava passar. Eram sempre elementos que não tinham nada a ver com a cultura brasileira, mas tinha a ver com uma coisa de consumo americano no Brasil.

Então eu vim num jogo escuro, peguei um ônibus, cheguei aqui na rodoviária, trabalhava durante o dia e, à noite, ia ao teatro.

16:00:32

O seu primeiro trabalho foi no...

Não, foi vendendo roupa, já fazia na Argentina.

Eu tinha uns tios que tinham uma loja de roupa feminina e eles me fizeram duas malas com roupas e eu saí por aí vendendo, batendo em porta. Era um camelô. E eu adorava ser um camelô porque era a oportunidade de estar com pessoas novas constantemente, tocar campainhas, entrar em lojas, entrar em escritórios, pegar um prédio e ir até o último andar e ficar fazendo sala por sala, descendo pela escada, vendendo, conhecendo pessoas, arranjando namoradas. Eu achei muito mais produtivo do que trabalhar em uma agência de publicidade como alguns amigos meus fizeram.

16:01:32

De uma forma ou de outra, você continua um camelô.

É a história do Fellini que diz que, quando ele era jovem, o pai dele tinha uma barraca de queijos na feira de Rimini, e ele morria de vergonha, como um intelectual, de dizer aos amigos que o pai era um vendedor de queijo numa feira. E aí tem uma anedota que conta que o Fellini estava em Los Angeles, com o último filme dele entre as pernas, e ele diz: "Aqui estou eu, cinquenta anos depois, tentando vender o meu queijo". Então você acaba sempre fazendo a mesma coisa com diferentes exemplos ao longo da vida, eu acho.

16:02:14

Você chegou até vender túmulos pra ganhar dinheiro, muito engraçado isso...

Todo mundo acha engraçado isso.

Vendeu túmulos no cemitério do Morumbi.

Eu fui campeão de vendas de túmulos no cemitério, meu nome estava escrito num quadro negro, na avenida Angélica, num casarão que era a central de vendas, eu era o campeão.

Vendia valas.

Era um empreendimento que vendia em um cemitério ecumênico, então todo mundo era freguês, o evangelista, o islamista, o judeu se quisesse, não judeu, cristão, o ateu, porque estava proibido colocar túmulos ou imagens. Se vendia um pouco o modelo norte-americano das placas de bronze num gramado, um grande jardim.

Eu era craque. Eu chegava e faturava a família inteira porque eu fazia uma espécie de laboratório, uma espécie de improvisação, tentando fazer eles imaginarem que, no momento em que a morte os visitasse, alguém da família deles, pai, mãe, mulher, filho, a última coisa no mundo com que você quer lidar naquele momento é com a preocupação de você ter que comprar uma vala no cemitério para enterrar o teu familiar. Então eu apagava e acendia a luz pra simular a morte, eu fazia quinhentas mil coisas, eu sei que todo mundo comprava feito pipoca.

E eu fiz a minha primeira autoescola vendendo túmulos, comprei o meu primeiro fusca de segunda mão vendendo túmulos, comprei geladeira, comprei cama (porque, até aquele momento, o colchão estava no chão), enfim, foi como foi... De vez em quando, eu encontro alguém em alguma festa e pergunto: "Você não é fulano?", "Sou", "Então, o seu pai está enterrado no túmulo que eu vendi". Já me aconteceu várias vezes, eu acho muito engraçado. Às vezes, eu leio no jornal que alguém morreu e eu sei que eu vendi pra esse cara, sei que está enterrado num lugar que eu ganhei na época cem cruzeiros, que era a minha comissão. Não tem nada de excepcional.

16:05:00

Caminha para o espelho pra mim.

Caminho para o espelho? (*Suspira forte*)

O que você vê?

Olha, é uma coisa estranha porque, de repente, eu estava falando com você...

Chega mais perto...

E agora são três pessoas: sou eu, meu reflexo e você, então ainda não sei o que estou vendo, nem o que eu sinto.

Olha pra você.

Olho pra mim... Estou deixando um bigode incipiente que eu não sei por que, pareço o meu pai, logo mais ele deixará de existir. Estou bem aqui parado?

O que você vê?

Vejo um homem improvável, não consigo me olhar por muito tempo nos olhos. É chato.

O que você sente?

Há um certo incômodo de ver a mim mesmo falando, não é uma situação agradável. Por exemplo, eu não poderia falar das coisas que eu falei pra mim.

O que você poderia falar pra você?

Poderia falar que o homem é um ser ridículo, patético e que cada ser humano é uma verdade e uma mentira ao mesmo tempo.

Qual é a diferença daquele menino e este homem que está aí?

O menino que foi ao cinema? O menino que foi ao cinema está aqui, está dentro, não está fora.

Você vê doença?

Não, nenhuma.

Você vê morte?

Nem sei o que é isso. Estou vendo o teto do galpão, nem sei o que é a morte, não tenho a menor e remota ideia.

Nunca pensou nela? Nem nos momentos mais difíceis?

Não, nem nos momentos mais difíceis me passou pela cabeça que eu pudesse deixar de ser, deixar de existir. Sempre tive uma confiança assim ilimitada na minha capacidade de ter sorte e sobreviver, sempre. Tanto assim que, quando dá algum revés, eu me pergunto muito: "O que será que deu errado pra acontecer isso?", "Será que fiz algo equivocado?". Porque sempre tive muita sorte, eu acho que eu sou um homem sortudo.

Pelo seu histórico, você não era para estar mais aqui...

Então, por isso que eu tenho muita sorte, por isso que eu estou aqui, essa que é a minha virtude, a minha sorte.

O que a psicanálise representa pra você?
O que a psicanálise representa na sua vida?

Eu não faço psicanálise. Um dia por semana não é fazer psicanálise. É simplesmente ir a algum lugar onde você conta a alguém algo que está acontecendo contigo e do que você não tem a lucidez suficiente para entender. E que a outra pessoa pode te ajudar te colocando um espelho como este, te dizendo um pouco como ela vê o que você acabou de dizer, só isso. E sempre a sensação ao sair, é uma sensação boa, é uma sensação de que não foi ruim ter ido. É como repetir uma comida que a gente gosta, mas não conseguir comê-la todo dia porque ela acaba cansando. Análise é algo que eu vou pra lá com prazer mesmo que eu esteja doído, e eu sempre saio de alguma forma tocado, mexido.

É legal fazer análise, eu gosto muito. Eu sou um ser... Eu sou uma pessoa que lida com a palavra, com a reflexão, com o pensamento, com a compreensão do sentir. E análise é um pouco como o computador, que você tem um corretor ou um tradutor que imediatamente você diz que língua você quer a palavra traduzida. O psicanalista é um tradutor das informações que você dá à linguagem simbólica dele, isso me faz bem, acredito nisso. Fiz durante muitos anos quando estava doente, não me lembro se foi bom ou foi ruim, mas eu ia, e eu acho que se eu ia me fazia bem. Então a psicanálise não é determinante, mas me ajuda a entender tudo, e um dia por semana eu acho que posso dedicar ao doutor Freud. Ele lá no céu vai ficar feliz...

Vocês deveriam pegar este documentário e passar nas clínicas do sono, os pacientes que têm insônia, ao ouvirem essa minha história, dormirão placidamente, cairão num sono bem gostoso, uma introdução ao sono.

Essa é a minha intenção.

A gente poderia fazer vários capítulos, como os seriados de televisão, introdução ao sono, introdução ao sonho, acordar, seja feliz, durma bem, aí vira autoajuda e vocês ganham uma grana.

16:12:30

Volta. Quer tomar um café, uma água? Quer comer alguma coisa?

Não, almocei agora, faz duas horas, eu tomaria um cafezinho.

Ele toma sem açúcar.

Corredor parte II

16:21:03

A história de Coração iluminado *é a sua história, praticamente, não é?*

É de alguma forma, claro! Claro, sempre em algumas coisas que a gente faz a gente tem um pouco das coisas que a gente conhece, que fez, *ficcionalizados*. Não necessariamente; mas, meu caso, o *Coração iluminado,* foi um filme muito próximo, foi o primeiro trabalho que eu fiz pós-transplante de medula óssea, depois de passar muitos anos isolado de tudo. Primeiro você vira paciente, depois você é tratado, depois você vira convalescente. Há vários estágios em cada um desses tempos, eles não são estáveis, sempre há surpresas, coisas novas, *desgarramentos*. E esse filme foi sendo escrito ao longo de muitos momentos diversos, durante anos eu me encontrava com Ricardo Piglia em diferentes lugares, e a gente conversava sobre a construção do filme.

Foram anos. E quando eu, de alguma forma, comecei a me sentir melhor, e os médicos falaram que havia grandes chances de que eu estivesse curado, quis fazer o filme como se fosse o meu último filme.

    Eu pensava: "Tenho que falar de mim antes de eu chegar ao Brasil. Eu tenho que desenterrar essa história. Eu tenho tentado ignorá-la para poder ser forte e continuar adiante, mas os alicerces são aqueles". E foi assim que surgiu a possibilidade, houve uma equação financeira que foi propícia no momento para ter a grana, fizemos uma sociedade com um grupo argentino, aí eu fui filmar em Buenos Aires, fizemos o filme.

    Quero um pouquinho de água, por favor.

16:23:49

> *Qual foi o dia que você descobriu que tinha câncer?*

Ah é, isso é uma boa pergunta, leve. Eu tinha um cisto sebáceo, uma bolotinha aqui no pescoço. E um dia, um amigo meu, que era cirurgião plástico, o David, me disse "Passa lá no consultório que eu tiro isso". Quer dizer, a primeira pessoa que tinha me dito pra tirar isso foi a dra. Hayde, que é uma amiga da dra. Sônia, que me disse: "Tira isso, eu tenho um cirurgião infantil que pode tirar". E tiramos com o cirurgião infantil e não era nada, e um ano depois saiu de novo, e aí o David Serson me disse: "Passa lá no ambulatório que eu estarei operando desde muito cedo, passa tipo meio-dia, que eu acho um momento fora da sala de cirurgia de tirar isso, que me parece que está feio". Em determinado momento, ele se aproxima e me diz: "Olha, é maior do que eu imaginava, a gente vai te sedar pra você se sentir mais confortável e não sentir dor".

    E quando acordei da sedação estava num quarto no Hospital [Albert] Einstein com quatro médicos, mulher, filha, todo mundo me olhando, porque tinham achado um linfoma, que é uma espécie de câncer, é um câncer do sistema linfático, dos gânglios, e que o material estava sendo analisado, e que uma série de exames deveriam ser feitos. E aí comecei a entender o que era ter um câncer, saber que o câncer não existe, o que existe são doenças cancerígenas. Algumas com cura já comprovada e outras com cura dependendo da reação do paciente e da reação do câncer no paciente. E há coisas que não têm cura, que chamam de crônica, e o meu era um *linfoma crônico non hodgking*, com uma configuração celular bastante simétrica e quieta com um crescimento que eles denominam indolente.

Combinamos com o Drauzio [Varella], comandado por ele, obviamente, que a gente não faria nenhum tratamento agressivo, porque como não tem cura, o tratamento agressivo só ia me tirar qualidade de vida, ia me enfraquecer, além da doença continuar andando.

Então eu ia ter cada vez menos resistência para poder conviver com o crescimento da doença. Fiquei assim vários anos, de 84 a 93, sem fazer nem quimioterapia nem radioterapia. Só tomando uma quimioterapia oral que me desarranjava um pouco o intestino, me dava um pouco de náusea, mas que fui suportando com o tempo. Tomava todas as manhãs quatro pílulas.

16:27:34

Quantos anos você tinha na época?

Eu tinha 38 anos.

Você estava fazendo que filme?

Eu tinha acabado de fazer *O beijo da Mulher Aranha*. Ainda doente, com câncer, eu fiz o *Ironweed*, me lembro até da época de pré-produção, de eu dizer à produção que ia ao Brasil por três ou quatro dias para ver a minha família, e eu me internava no Memorial Hospital, em Nova York, para extração de medula óssea, congelamento na época. Enfim, vários procedimentos médicos que foram feitos duas ou três vezes que isso aconteceu.

E fiz o *Brincando nos campos do Senhor*, *Amazônia*, já doente, isso foi em 1990. Eu me lembro de que os gânglios cresceram tanto na virilha que o Drauzio me obrigou a pegar um voo fretado. Terminamos uma noturna às seis da manhã, eu peguei o avião às 7h30, 8h, num avião fretado, vim pra São Paulo, me pegaram no aeroporto, me levaram diretamente para o Hospital Oswaldo Cruz. Fizeram todas as biópsias, de axila e de virilha, tiraram os gânglios.

Eu descansei sábado em casa, e domingo voei, e segunda-feira de manhã estava filmando com quarenta e poucos pontos no corpo.

16:29:17

E ninguém sabia?

Ninguém sabia.

E a filmagem?... Você comandava um exército porque era no meio da Amazônia.

A gente estava filmando numa área muito íngreme, que era a casa dos pastores evangélicos, que era numa ribanceira. Para eu subir a ribanceira e me manter equilibrado... Quando eu descia com aqueles pontos na virilha, só eu sei o que eu passei. Aí eu arranjei um bom médico em Belém, tirei os pontos, tomei antibiótico pra não infeccionar. Os exames davam que era a mesma doença, e que o quadro evolutivo estava estagnado, mas já havia algumas configurações dos gânglios que estavam se deformando e, obviamente, em 92, 93 aquilo virou uma loucura, e aí Drauzio me falou claramente: "Você tem de quatro a seis meses de vida". Porque comecei a tomar quimioterapia muito forte, já tinha a coluna tomada, várias vértebras. Fiz tratamento no Einstein, que era o melhor lugar, na época, em São Paulo, e não havia saída. Na quinta sessão de quimioterapia, eu já estava pesando sessenta e poucos quilos, não tinha capacidade de andar, de cadeira de rodas, eu já era um trapo. Aí o Drauzio diz: "Quer saber, vamos parar com a quimioterapia pra que você possa viver um pouco mais". Aí ele me chamou na casa dele, um dia, e me disse: "Olha, eu arranjei pra você visitar um lugar pra fazer um transplante de medula óssea, não sei se eles vão te aceitar porque o teu câncer está muito avançado, mas vale a pena. Liga pra este telefone". Me deu um telefone, dr. Appelbaum. Era em Seattle, nos Estados Unidos, e a gente foi pra lá. Passamos de três a quatro dias fazendo um monte de exames, voltamos e, vinte dias depois, chegou uma resposta que eles tinham me aceitado. Marcamos a data, fomos, me internei... (*Ri*) Uma situação muito engraçada. Me lembro que antes de me internar, nós chegamos, em uma manhã, na cidade, dormimos no hotel, de cansaço, almoçamos, saímos pra passear. No dia seguinte, eu tinha que me internar, e eu passei por uma loja de roupa americana muito tradicional chamada Brook Brothers, que é um clássico do vestuário norte-americano, bem anos 50, camisa listradinha. E eu me lembro que entrei, comprei dois pijamas de algodão 100% inglês, maravilhosamente lindos, e comprei um roupão que você conhece, um *foulard,* e digo, eu vou estar no hospital mas vou ser um *gentleman,* um cavalheiro. Mas jamais usei essa roupa porque, quando cheguei lá, me deixaram pelado, colocaram aquele avental de hospital, aberto na bunda, e aquilo dormiu na mala como dorme até hoje. Eu raramente uso aquilo, mas jamais me desprenderei deles porque acho o pano e a textura muito gostosos. Mas não uso. Foi o lado engraçado. E depois...

16:33:17

Você ficou quanto tempo em Seattle?

Quatro meses e pouco, foi um inferno.

E daí a parte de quem vai te dar a medula.

Isso foi antes do transplante.

Essa briga toda de quem vai doar.

Não é quem vai doar, quem tem compatibilidade sanguínea para ser o doador, nenhuma das minhas filhas foi, minha mãe não foi, meu irmão maior não foi. A gente ia ter que entrar num banco de medulas que existe. Mas aí um segundo irmão meu, de quem eu estava um pouco afastado naquela época, eu tinha brigado com ele...

Quanto tempo você não falava com ele?

Aí eu peguei o meu irmão e me mandei pra Seattle com ele. Ele ficou lá um par de dias, enlouqueceu, porque eles dão umas injeções para provocar o crescimento de células novas, glóbulos vermelhos, brancos. Eles tomam as injeções para provocar isso porque eles têm que extrair do doador *baby cells*, células que eu acho que ainda não tenham 48 horas, alguma coisa assim, chamadas de *baby cells*. Através de um processo centrífugo eles separam as *baby cells* das outras células, e é isso que é levado ao paciente e que é inoculado como se fosse uma transfusão sanguínea. Não há corte, não há absolutamente nada. Só que o paciente, para ser passivo e receber isso, ele tem que ser praticamente inutilizado, biologicamente, cama, *full body radiation*, eles te radiam o corpo inteiro durante vários dias seguidos, te jogam umas quimioterapias extremamente pesadas e agressivas que faz que você fique praticamente uma ameba, matam quase todas as células cancerígenas; mas, obviamente, a doença não tem cura, porque você não consegue eliminar todas as células do teu organismo. Ficando uma ou duas, elas começam a se reproduzir. Eu sempre dizia que as minhas células gostam de foder, então elas se reproduziam muito rapidamente, eram células-coelhos que trepavam sem parar. E aí teve o dia da transfusão, um dia muito calmo, muito sereno.

Foi uma manhã, eu estava muito muito distante e apagado, eu era assim, uma massa informe de ser humano. Uma alface. Uma ameba. E me lembro da minha ex-mulher, Xuxa, na janela, sempre na janela olhando pra luz. Me lembro de alguma conexão e de uma oração que foi feita em conexão com um amigo nosso, com o Jovelino, e enfim, aí foi indo, um dia depois do outro, tendo reações das mais adversas, mais diferentes, e seguindo a contagem não sempre pra cima da quantidade de glóbulos vermelhos, brancos, plaquetas que você vai construindo, que vão sendo gerados no teu corpo, até que decidiram me mandar embora do hospital e eu implorei pra ficar mais uma semana, não me sentia seguro pra sair, mas eles disseram que era importante que eu saísse para aprender a caminhar de novo. Porque a pele do meu pé tinha se soltado totalmente. Acontecem inúmeras transformações no teu corpo.

A gente saiu, a gente tinha alugado uma casa perto de um parque, uma casa vitoriana bonita, mas com péssimo banheiro. Pra tomar banho era uma tragédia porque era uma banheira redonda embaixo, e eu não tenho equilíbrio. Ninguém olhou esse detalhe quando alugamos a casa, e o David Tihuli, um amigo meu que sopra vidros, um artista importante, me fez devolver toda a mobília que eu tinha alugado na loja de mobília, que eram totalmente despersonalizadas e cafonas, e ele me mobiliou a casa inteira como se fosse um *set* de Hollywood, de um filme da década de 30 porque ele tinha comprado, em leilões, cenários de várias comédias hollywoodianas onde os cenários eram feitos, eram *fakes*. Então, por exemplo, a cama, a penteadeira, a cômoda era tudo prateada com espelho, que eram coisas que foram feitas para filme em branco e preto, então eles trabalhavam muito com contrastes das tonalidades que vão do branco ao preto. Trouxe uma cozinha bem anos 50 que parecia um filme de Doris Day... O que mais? Colocou uns vasos lindos na sala, um deles eu ainda tenho em casa, outro quebrou. Montou o quarto. Me sentia mais cômodo; mas, na verdade, eu me sentia dentro de um *set* de filmagem.

E ele me levava pra jantar, às vezes ia me buscar, tinha um Astra, eu me lembro. Ele e a mulher dele, a Tracy... E foi uma época muito dolorosa porque a Xuxa tinha um filho, o Bento, e ele ficou sozinho. Como você deixa um menino, de sete anos, meses enterrado num apartamento com uma empregada? Enfim, foi muito penoso pra todo mundo essa história. As minhas filhas vieram e, realmente, não sabiam como lidar com o ócio, com o tempo que você não tem o que fazer. O dia tem quinze horas inúteis. A lembrança que eu tenho da Janka, sempre jogada num canto, no limite extremo de qualquer situação, sempre lendo, sempre lendo, e a Myra ia fazer ginástica, ficava horas na academia se massacrando.

> *E esse processo todo foi quando?*

Durante o tempo que estava no hospital.

> *Você estava nessa casa e voltava para o hospital para fazer tratamento?*

Todos os dias. Chegava lá nove, nove e meia, dez, e ficava até as quatro da tarde, cinco.

> *Tinha muito perigo de rejeição?*

Eu estava no período durante dois ou três anos, ou quatro, é o tempo em que você sempre está muito exposto a um problema de rejeição.

> *Você tem cinco anos pra saber se não vai ter rejeição?*

Só depois de cinco anos é que eu soube, quando abri um envelope direcionado ao Drauzio, que li onde diziam que eles consideravam, pelos padrões, que eu estava curado da doença base.

Que daí pra frente eu deveria procurar médicos para cuidar, dermatologistas para pele, um urologista para rim, enfim, procurar médicos dependendo do problema que eu pudesse ter.

Porém nessas salas que eu fazia essas quimioterapias, eu nunca soube exatamente, eram ciclosporina, enfim, eram uns coquetéis molotov, que me davam, tinha cortisona no meio, nem sei direito. Foi lá que eu conheci meu amigo hindu, o garoto hindu que eu via comigo, dividíamos uma sala. Eram umas cadeiras, tipo cadeiras de barbeiro antigas, cômodas, que você podia ficar reclinado e aguentar seis horas sentado sem sair de lá, e eu tinha esse amigo hindu que foi de onde eu tirei a inspiração de querer fazer um filme que eu gostaria muito algum dia fazer, que se chama *Meu amigo hindu* e que está parcialmente desenvolvido.

Quem era o seu amigo hindu?

Era um menino que não falava comigo, eu não falava a língua dele e ele não falava a minha língua. E ficávamos no mesmo quarto o tempo inteiro durante seis horas todos os dias, devia ter uns oito anos, sete anos. Ele falava um pouco de inglês, mas ele era muito quieto, não era uma criança que falava muito.

Ele tinha a mesma coisa que você?

Em crianças, pelo menos os médicos me falaram, as chances de cura são muito maiores, porque o organismo ainda não desenvolveu toda a sua potencialidade de crescimento, então os percentuais de sobrevivência são muito maiores.

Você sabe que quando você estava no hospital, no leito de morte praticamente, quase...

Não, leito de vida, pensa bem, leito de vida.

Mas pra quem estava de fora, quem sabe? As pessoas não sabiam. Mas você nunca pensou nisso? Eu me lembro que você contou a história da tua mãe, e foi lá que você começou a escrever o...

Ele já estava desenvolvido, eu já tinha me encontrado com o Piglia duas vezes durante longas temporadas de duas ou três semanas, e a história já estava construída.

Mas um filme é como você peneirar o grão pra fazer cuscuz: tem que passar quatro ou cinco, seis vezes até ficar pronto. É como você pegar ouro, jogar água e esperar se fica alguma pepita lá embaixo.

Teve uma vez que eu estava escrevendo e minha mãe me trouxe um chá e eu falei para ela não me incomodar, de uma forma meio grosseira, meio tosca, fui ignorante com ela. E anos depois minha mãe me disse: "Aquele dia que você gritou comigo e que você me disse para eu não te incomodar porque você estava escrevendo um filme, e naquele momento eu soube que você ia viver." (*Ri*) Legal, né? Superforte isso.

16:46:48

Agora, de alguma forma, você ter vontade de fazer, continuar a criar, esse teu impulso de inspiração lá no hospital, na doença, te ajudou a sobreviver também? Você queria fazer mais coisas.

Isso eu não posso dizer.

Estou te perguntando.

É muito interessante, porque sempre que você fala, eu acho que eu fico superorgulhosa porque, de alguma forma, todos os teus amigos, os amigos que você tem, são amigos muito fortes, o Jovelino, o Drauzio, todos esses que fizeram parte, sempre. De uma forma ou de outra, eu acho que você teve esses amigos, eles são tão presentes na tua vida, e isso é tão importante, que pouca gente tem. Não sei se você sabe disso, mas pouca gente tem, são amigos mesmo, fiéis. Isso é tão bonito, toda essa tua amizade com eles, eles pra você e você pra eles. Toda vez que você cita um ou outro. Se você se escutasse... você cita sempre.

Mas não são tantos.

> *Não, não são tantos, são poucos, mas são amigos, pessoas significativas, pessoas do trabalho, alguns que ajudaram você a fazer o teu primeiro filme, sei lá, eu estou falando porque estou sentindo que sempre que você conversa comigo está falando dos seus amigos, esse ciclo de amizade que você tem, esses amigos que ficaram para sempre... podia escutar um por um.*

Não sei, com cada um deles, em algum momento, que eu não saberia dizer qual, mas houve uma entrega, eu acho que quando há uma entrega o pacto está selado, mesmo que a pessoa não se veja durante anos. Eu acho que o que me mantém também, [é] que as minhas estruturas, elas também se alimentam da certeza que eu tenho alguns pontos de apoio. Como dizem; se eu cair, eu sei que fulano pode, eu posso encostar no ombro dele. Talvez seja uma ilusão, capaz que o dia que eu procure o ombro, o ombro não esteja. Mas eu me relaciono com eles como se fossem cada um deles 100%. Não sei como acontece com outros amigos, com eles, não sei como acontece com outros homens, não sei como acontece com as mulheres.

> *De uma forma é como se fosse uma construção, a tua construção se deu, estou falando de amigos de trinta, quarenta anos, desde que você chegou ao Brasil, tem alguns amigos que ficaram e outros não, mas você tem amigos que, de alguma forma, te ajudaram a realizar os teus sonhos. Então você começou e, se não fossem eles, talvez você também não conseguiria, e eles ficaram.*

Ficaram não, cada um tem a sua profissão.

> *Não, ficaram na sua vida. Ficaram.*

Ahhh, se incorporaram, é, acho que sim, acho que sim.

> *É, você tem várias cicatrizes pelo corpo, quantas?*

Nunca contei, não são tão importantes, tem uma no pulmão, que é a mais severa eu diria, eu digo, porque o pulmão é um órgão muito importante. As outras têm muitas biópsias, são cortes mais superficiais, mas não tenho tantas... Agora se eu decidir fazer uma plástica, por exemplo, eu vou ter um monte de cicatriz, tipo, levantar o culote, tirar a barriga, tirar a papada, que importância tem uma cicatriz?

> *Tem algumas importâncias, sim.*

Ai!

> *Levanta, levanta.*

Não, estou bem. Não, não vou levantar, estou bem sentado, não gosto de falar em pé. Gosto de caminhar. Acabaram as balas.

> *Acabaram as balas, agora só vai restar o charuto. Eu queria que você, espera aí, eu vou fazer uma coisa, esse é só o começo, tá? Hoje é só uma introdução, uma introdução sua. Você sentaria no chão?*

Não. Não porque eu vou ficar incômodo.

> *Você está cômodo nesta cadeira?*

A cadeira é um pouco dura, mas estou bem. Tem que haver uma cota de autoflagelo para que a felicidade tenha dificuldades em brilhar.

> *Nossa, o poeta sempre...*

É dura pra caramba esta cadeira.

> *O poeta sempre existiu. Eu vou te dar uma caixa aqui, já que você não quer sentar no chão, eu quero ver se você reconhece isto.*

Imagina se não conheço.

16:52:42

> *Você reconhece isto?*

Tudo isto foi escrito quando eu tinha dezessete, dezoito anos. (*Lendo*) Tem até folhas de papel higiênico, deixa ver se eu acho... Olha, aqui tem alguma tentativa de ter datilografado alguma coisa, deixa eu ver, porque o resto eu não entendo a letra. (*Lendo e rindo*) Posso ler uma?

> *Sim.*

Será que traduzo ou vai em castelhano?

> *Em castelhano.*

"Hay palabras que jamás significan nada para mí. No es que yo no he encontrado significado enciclopédico, ni tampoco que les haya diluído con el arsénico mental, sucede simplemente que jamás existieron. Bien, ellas la muerte de la luz la última salida del túnel de la palabra para entrar en el mundo de hecho de los representables de lo visto, o sea, lo real." Qué te parece nene, tenia 16 años cuando escrebí eso... "Antes mi vida era un vaso sin flores". Meio cafona. "Quién conheceu que mis viejas estrellas, nadie quería beber minhas tristezas, mi vida estaba sumergida en un gran tanque de miedo y llanto, este llanto desgarrado que solo lo puede lanzarlo creo que se siente ridículo". Puta! Isto é ótimo: "Sabes lo que es sentirse ridículo? No, les aseguro, queridos amigos, que não, vocês não sabem". Eu tinha então quinze anos ou tinha catorze. "Pero ahora, gracias a Dios, ya no tiene ninguna importancia, ya no sufro por el pasado, mi vida nestes últimos tiempos un atropello de la libertad, se diría que mí se soltaram los mil caballos de inocencia, de la inconciencia y quieren correr y vivir. Y aquella época de largos atardeceres tiempo mi figura era triste y ordinaria cuando ocorreu este lapso del pasado me veo obligatoriamente con una camisa blanca, roja, con cuello italiano. La barriga dissimulada por las camisas que estaban para fuera del pantalón, – perdón – me recuerdo triste en el club de mi barrio, los bailes de verano, en carnaval, siempre dissimulando, siempre la farsa, este juego que estava jugando con los desconhecidos me partia el corazón. En aquella época yo no conhecia el mundo de la cultura y estaba resolvendo me entre 3 ou 4..." Aí já se perde o poema, aí já se perde, enfim, coisas escritas, tem blocos inteiros. "Bloco Universal", não tem data, mas este bloco foi escrito eu acho, durante uma viagem que eu fiz pelo interior na Argentina com um espetáculo teatral, vocês podem ver a letra. Eu estava muito triste nesta época, muito melancólico. "Con todo lo que se cierra numa frente mais a humedad, el dolor y el cielo hei de dizer, começando... eu não entendo a letra... Que as estrelas... Ah, é complicado, tenho que ler com calma porque perco muito a letra, essa que é a grande tragédia, só eu posso traduzir isso, e cada vez que começo a ler isso eu me emociono, me deprimo e paro. Então é um trabalho que nunca se conclui, são cadernos e cadernos, tem muito mais do que isto né, Bárbara? Você só pegou um pedaço. Algumas vezes, tem umas tentativas de datilografar, tem aqui algumas coisas datilografadas, como chama isso? "A distância é passageira; no entanto, o rumo é incerto e feroz, a sombra sofre com a sua própria nostalgia, ela quer ser presença, esvaziar-se, corrompe o desejo, intercala espelhos que não são reais, quanto a passageira distância de nossa presença ela é só, como desprendida do ser". Tem uma parte boa no início, mas depois se perde. "Tu letra es el fascínio de lo que no se olvida, la mueca esta sí se dilui se desdibuja, se atropeja, se corrompe, se deshace, se recompone, gravita y de ella emerge un tótem silencioso y terminal, alado y jovial, simplesmente isso". São lindos esses poemas, realmente, eu não quero tirá-los da ordem senão vai ser um caos para achar isso, aliás não há ordem nenhuma pra dizer a verdade. "Como uma mancha, um hieroglífico de tinta marcado por el adiós me chegou el caótico lembrete de una librería perdida na minha imaginación un recuerdo atado por lo que encontré." Não fui ou não quis ir num concurso de VG onde a miss disse que Fausto é um compositor brasileiro, a contracapa de um velho livro que diz que a Livraria Fausto... As formigas, eu... Ah, sei lá. Enfim, o que eu posso fazer com tudo isso? Algum dia vou ter que, sei lá, passar a limpo. "Eu acho, eu sei que não há porque se falar; no entanto, no silêncio desalento da ausência o abismo é puro e íngreme, a vertigem é febril. O horizonte procura um nada e nenhuma nuvem é capaz de enganar o dia. Como um relâmpago de sal, existe a ternura implacável do confronto e o estar, tratar de ser, melancólica miragem, morte existe, feito e desfeito e você foi inegável, pedra fundamental". Será que são poemas pra boi dormir, como se diz no Brasil? Tenho que pegar alguém pra me ajudar a fazer isso, tenho que ter coragem e enfrentar isso. Isto aqui eu devia ter quinze anos quando eu fiz. "Em uma prisão de olhos hei de enclausurar as minhas veias, logo apagarei as candiles e beijarei as amarras que me impedem amar a distância, brotaram de algum lugar lo lejano, em vez los cuerpos por una pendiente de vírgenes ocultas entonces los años son círculos y los labios marcas de ódio em mi rostro marcado por los días y en las manos escritas en carbono, y los ojos esos malditos pendaños del dolor que nunca se cierran. La imagem móvel se continua após o sonho, navega tonéis escritos em palavras cegas deixando margens para concretar diminutas com a lucidez que me deixa o sol en las manos temblando escribo, sí el cielo me deja libre, y los árboles se miran con mis ojos, entonces estoy eclipsado, aplastrado por raios sinuosos, ondas de marfim negro que me encierran, perfecta ilusión etérea, que me marcam o espaço dos olhos. Tudo começa lejanos, lejos de qualquer hipótese, mas lejos aonde algo centro imaginável, tudo é assim, simplesmente, a noite que penetra, el recuerdo que campanea sua emotividad de transe em nossos ojos e toda esta consciência de soledad total de terríveis lamentos. Esta cárcere la qual me paseo livre, sin condicionamentos respondendo com la lejanía a todos e remarcando a una tristeza loca, demoníaca, quase negra, que me hace gozar intimamente violentas retiradas suicidas, simplesmente hoy la amo toda simplesmente loco, muerto, en este fluir côncavo que emana mi mano, porque vejo que todo és simplesmente loco, inerte, extraordinário, simplesmente. Estoy partiendo hay lunas hecho gramado en lágrimas". Meio García Lorca, meio babaca. "Meu pobre coração está agonizando nesta piedosa marcha sem destino". É um bolero do Waldick Soriano. "Meu pobre coração que ainda não conheço, novamente pobre coração que já nem geme arrependido de existir, por quê? Pobre coração, temos medo dos pobres, mendigos, com as barbas brancas e suas caras negras, seus dedos sujos e a alma tácita, por que, pobre coração? Por quê?... Erro para libertar tuas flores, por que, pobre coração? Encerramos nesta prisão de olhos tremendo o céu. Ai, pobre coração, por que? Por que esquecemos de ti, pobre coração, por que?". Será que termina aqui? Sim, aí termina, termina com porque. Porque, chega, né? Tem bastante material, você não achou?

> *Achei.*

Tem mais ainda, não tem? Este aqui é uma caixa, tem duas.

> *Só com quinze, dezesseis anos, claro que você consegue ler, tem que traduzir isso logo.*

Eu era um maluco, cadernos inteiros.

> *E estes desenhos, também são seus?*

Também são meus.

> *Tem desenhos lindos aí.*

Não, eu sou péssimo. Não, não tem nada. Eu acho que, limpando, podem sair uns cinco ou seis poemas legais.

Cinco ou seis nada, tem muito mais.

Se tem alguma importância, algum valor literário, isso eu não tenho a menor ideia. O que é isso? Isso é uma carta a minha filha, a Myra.

"Querida Myra, aqui estou a dezessete mil ou mais pés de altitude sem parar de pensar e sonhar com você. Somos dois preguiçosos para escrever; porém, às vezes, penso que mesmo que as nossas cartas...".

Sei lá, não dá pra ler isso, não dá pra entender porra nenhuma.

"Passamos a ser mais cúmplices um do outro, e as nossas emoções, sentimentos...". Meio bobo, em todo o caso eu vou usar esse clipe para que ele não se sinta órfão, voltei a pôr no mesmo lugar que ele estava. Chega, por favor, tira de mim, afasta de mim esse cálice. Olha aqui, páginas e páginas... "O ritmo natural das consequências nos leva a pensar que o que esgota é manifesto e o que se foge é dor." Olha que lindo. "Ainda não se expressou a dúvida como queira que se apresente aos meus olhos..." Aqui já se perde. Não é tudo legal, enfim, ainda tem que limpar, tem que garimpar. "Tão grande é o mistério, tão suave o mar, profundo o buraco cego, o encontro do nosso ser vagabundo, tudo vai, vem, assimétrico, fixo com a constância imóvel, como a tua presença quente, como a imensidão." Sei lá onde que eu estava. "Tudo está presente em meus olhos, a besta e a vida, o divino e o eterno, a chama imóvel do amor junto ao feitiço verde do tempo como o leva em mim preso e sem senti-lo grave e exato oculto debaixo das veias do meu amor."

Que romantismo.

Só pra que você veja o homem com quem você dorme. "Novamente, eternamente, plena de fé cega, ou é tú, sou eu, esse é o mistério, nossas soledades rondando el mar, tú cuerpo gemido, mi paz ciega, el caldal de mi espera... Tú eres tú, receberé yo." É foda, nena... ainda não sou um Roberto Piva nem um Jorge de Lima, mas tem qualidade aqui, nena.

Y así
Me voy haciendo, solitario
Por la alfombra verde del silencio
Enmarcándome en estructuras
Derrumbando con sable de amor
Frios esqueletos de arena gris.

Rondar,
con plazas gastadas
la mar calma,
sobre el panel loco de dudas

sobre el decrepitar.

Una luz agotadora revienta
su claridad
contra la ceguera de nuestra mirada
mientras la seguridad de un
ciclón rebelde nos empaña los
brazos ebrios de emoción perdida.
Un momento de silencio solo
equivale a un intento de emociones
ahogadas.

Nunca, Raquel.

A distância é passageira,
no entanto
o rumo é incerto
e feroz
a sombra
sofre de sua própria nostalgia.

Ela quer ser presença.
Esvazia-se,
corrompe o desejo
e intercala espelhos
que são tão reais
quanto a passageira
distância
de nuestra presencia
_____ y sola
como desprendida
del ser.

En vano espero.
La espera es un clavo oxidado sin
principio ni fin.
Matar con pie seguro la distancia
entre la muerte y el ladrillo
arrastrar una columna de manos
en torno de una luz misteriosa.
Hay un encanto que llora por la tarde.

Corredor parte III

Sabe o que eu queria? Um copinho pra fazer de cinzeiro, não deveria fumar, né? É totalmente incorreto, por isso que eu vou fumar, vou empestear os pulmões de vocês. De onde saiu este espelho? (*Acende o charuto*) Queimei meus dedos... (*Pausa*) Fazia tempo que eu não comia um sanduíche de salaminho com queijo, só em filmagem mesmo... (*Pausa*) Vocês não estão com frio? Você sabe que, desde que fiz o transplante, a minha sensação térmica mudou, eu sinto muito menos o calor e muito mais o frio; às vezes, tenho que dormir com dois cobertores e, no verão, tá todo mundo morrendo de calor e eu não sinto tanto calor.

E por que você fuma esse charuto?

Porque eu gosto do vendedor de charutos, o cara que vende os charutos é uma figura ótima, um cubano, que mora no Brasil, professor de polo, e tem um emprego no negro, que é a venda de charutos, e eu gosto dele.

Para de mentir.

Não, fumo porque é uma companhia, um amigo, é uma forma de ficar sem fazer nada e parecer que está fazendo algo.

> *Toda vez que você está no processo criativo, você fala que acende o charuto senão o processo não acontece.*

Porque o charuto te ajuda a ficar quieto, você está com o charuto, você não precisa de mais nada. Mas não dá pra ler com o charuto, por exemplo, você não consegue ler e o charuto na mão, e o charuto tem que ficar na mão, não pode ficar no cinzeiro, então pra ler é péssimo, jornal, então, é impossível.

> *Faz pensar.*

É bom pra pensar, exatamente, são duas atividades completamente diferentes.

17:44:41

> *Você é um diretor-autor, se não me engano, você tem três filmes: o* Pixote, O rei da noite, Coração, *são ideias que vieram do seu processo criativo, e tem uns cinco,* Carandiru, Passado, Ironweed, Brincando nos campos do Senhor *e* Lúcio Flávio. *Foram adaptações de livros?*

Não interessa o número, quantos são três, quatro, cinco, tem de tudo um pouco.

> *... Deixa eu terminar de falar... São filmes do seu processo criativo, como* Coração Iluminado, *eu queria que você falasse um pouco disso, são cinco adaptações de livros. Acho que você foi a pessoa que mais adaptou literatura no Brasil. Ninguém*

consegue fazer isso.

Você acha que eu deveria ganhar o prêmio da Câmara do Comércio do Livro ou da Academia Brasileira de Livros, uma medalha Honra ao Livro?

Não, eu só quero que você fale do seu processo criativo.

Processo criativo é uma expressão muito "intelectualoide", é um pouco presunçosa inclusive essa palavra. Não existe processo criativo, a gente inventa, mente, cria lorotas, histórias, sei lá, faz uma manicure nas situações, recorta, é como cozinhar, mais ou menos, é parecido com cozinhar.

Pixote, O beijo da Mulher Aranha, Ironweed

Como e por que você quis fazer o Pixote? *Eu preciso saber, eu preciso que você me conte.*

Eu achava uma contradição muito grande de que houvesse crianças pedindo na rua, ou dormindo com os pais numa calçada, andando pela cidade e perambulando feito alma penada, você tem que levar em consideração que, naquela época, não havia tráfico de drogas, enfim, o Brasil era um país muito mais abrasivo, muito mais meigo, não havia essa violência deslavada que o consumismo travestido de progresso, nomeado progresso, trouxe. Porque, obviamente, é a contradição latente entre as classes sociais que gera a violência, a patologia é muito fácil de ser vista, não merece muito mais outras considerações. Mas o *Pixote*, eu via que as pessoas que eu respeitava, os pensadores, os intelectuais, os políticos se referiam sempre com a terminologia sociológica a essas pessoas, menores infratores, menores abandonados, e tudo virava sempre um discurso socializante, um discurso coletivo, sempre eram muitos, nunca era um. Pouquíssimos autores contemporâneos falavam sobre as crianças, pouquíssimos, não, ninguém falava e, de repente, eu li esse livro do José Louzeiro chamado *Infância dos mortos*, que é um pouco baseado naquele caso das crianças que foram despejadas nuas na fronteira entre o estado de São Paulo e Minas, chamado "Caso Camanducaia", que era o nome da cidade e, de repente, apareceram quarenta e poucas crianças que tinham sido tiradas da Febem, se não me engano, por um delegado de polícia. E foi até a divisa com o estado de Minas Gerais e soltou essas crianças, pelo menos soltou e não matou. Porque, em casos posteriores ou em outros casos, houve assassinato friamente de crianças. E essas crianças nuas invadem uma cidade que é uma imagem apocalíptica, uma imagem inverossímil de tão verossímil que ela pode ser. E eu me motivei pela ficcionalização desse universo das crianças e comprei os direitos do livro do Louzeiro e escrevi uma história reconstruída através das minhas conversas com os meninos da Febem. Eu tinha ido um dia com um amigo meu fazer umas fotos numa unidade da Febem no Tatuapé. Naquela época, eu tinha uma barba enorme, o [Arnaldo] Jabor dizia que era uma barba que eu parecia um assírio com aquela barba. E as crianças ficaram brincando comigo, me chamavam de Papai Noel. E eu dei o meu telefone pra vários deles e não deu outra, um par de dias depois, houve uma fuga em massa e o telefone começou a tocar, e eu me encontrei com os meninos, eram uns dez ou doze, fomos comer hambúrguer no Hamburguinho, um lugar que tinha na Nove de Julho. Aí eles começaram a contar histórias, eu decidi começar a construir histórias, aí eu li o livro do Louzeiro, aí eu comprei o livro do Louzeiro com medo de que alguém quisesse fazer uma história que rimasse com a minha e que tirasse a originalidade do meu trabalho, não a originalidade, mas, digamos, a primazia de ser o primeiro filme que falava sobre isso. E assim nasceu *Pixote*. Naquela época, não havia leis de incentivo, meus custos eram verdadeiros e reais, não eram inflacionados. Juntamos um par de amigos, colocamos dinheiro e fizemos o filme. Acho que foram doze semanas de filmagem. E eu fiz por isso. Respondendo a tua pergunta, eu acho que *Pixote* nasce da minha indignação, pronto, não preciso falar mais.

> Pixote *foi outro mundo, você tinha quantos anos?*

Tinha 28, 27 ou 28.

> *E aí* Pixote *estourou o mundo, como se deu isso?*

Não, eu tinha 29. Como que se deu?

> Pixote *foi considerado o melhor filme do ano, prêmios do mundo inteiro e você com 29 anos, e aí? No seu terceiro filme.*

É, terceiro filme. Ah, sei lá.

> *Não quer falar?*

Não, posso falar, posso articular uma forma inteligente de falar sobre isso. A gente não inscreveu ele no Oscar porque a Embrafilme, na época, não tinha o formulário, e as funcionárias que cuidavam disso eram duas mulheres, uma Neusa e a outra não me lembro, uma "gorduchinha", eram do bem, mas elas não acreditavam que um filme brasileiro, um filme meu, de São Paulo, diretor novo, ainda a presença do cinema novo ocupava todo o espaço mental das pessoas que lidavam com cinema. Então, de repente, um paulista, um filme que ostensivamente não trazia uma graça de linguagem ou de conteúdo do cinema novo, um filme que rimava muito mais com o neorrealismo italiano do que com a poesia utópica, lúdica, fantasmagórica do cinema novo, com toda a sua beleza e sua épica própria, não era o leite que eu tomei quando era criança. Deixaram passar a data, então a gente não tinha mais, perdemos Cannes, o filme teve um sucesso razoável, o maluco do Jairo Arco e Flecha, que era o crítico da revista *Veja*, levou um juiz de menores pra ver o filme, porque achava que um juiz de menores era uma figura impoluta, que podia ver aquilo e dizer se aquilo é verdade ou mentira. Imagine, um almofadinha de merda, um escrevente de cartório, um juiz de menores que jamais colocou os pés numa Febem, jamais entrou numa delegacia pra ver uma criança que tenha cometido um crime, poderia dizer ou opinar, pensar o problema que eu apresentava no filme. Então foi tudo uma contradição desde o início no Brasil. Tudo jogava contra, e o Jean-Gabriel Albicocco, que era o representante da Gaumont no Brasil, viu o filme e ficou encantado e bancou a subtitulagem para o francês e mandou para o Festival de Cannes, que o recusou. E a cópia subtitulada em inglês ou em francês, em inglês eu acho, por equívoco, ao invés de voltar para o Brasil, foi pra Nova York. Então eu mandei um Telex ao Fabiano Canosa, que representava o cinema brasileiro e era uma pessoa muito interessante e muito importante. Ele dirigiu o Public Theater em Nova York, era um homem que realmente introduziu o cinema mundial em Manhattan, ele reinou durante mais de uma década com as salas do Public Theater, viu o filme, ou marcou para ver o filme numa cabine do Museu de Arte Moderna de Nova York e chamou Adriana Mancha e Larry, que era uma pessoa que na época tomava conta de cinema, e eles convidaram o filme para um festivalzinho que tinham, que não premiava nada, que se chama New Directors – New Films, e eles projetaram meu filme, e umas pessoas muito importantes como Vincent Canby, que era o crítico-mor de cinema do *New York Times,* e Pauline Kael, que escrevia na *New Yorker,* que era uma das críticas e pensadoras de cinema mais importantes dos Estados Unidos, caíram de quatro pelo filme e escreveram coisas extremamente pertinentes e elogiosas, com uma reflexão muito curiosa, anglo-saxônica, sobre um problema que eles desconheciam. Enfim, o filme, de repente, conquistou um espaço na América. Porque você ser abençoado pelo *New York Times,* isso te abre um espaço de uma dezena de milhares de pessoas que seguem o que o Vincent Candy escreve feito um fiel segue o que seu pastor lhe indica pra fazer. E aí o filme estreou e foi muito bem e ganhou prêmio do melhor filme do ano pela Associação de Críticos de Nova York, o prêmio de melhor filme do ano estrangeiro pela Associação de Críticos de Los Angeles, o melhor filme do ano pela

Associação de Críticos dos Estados Unidos, Marília Pera ganhou prêmio de melhor atriz do ano, ganhando da Diane Keaton em *Reds* e eu ganhando de Warren Beatty em *Reds*, assim, foi um escândalo o filme, um escândalo. E sobrou espaço para que o filme rodasse o mundo e que eu pudesse comprar charutos Havanna de vez em quando. Isso que aconteceu, quem me passava informações era um repórter, um repórter não, muito mais do que isso, um crítico do *Jornal da Tarde*, o Edmar Pereira, que faleceu, coitadinho, e ele me ligava e dizia: "Você sabia que você ganhou tal prêmio?", eu nem sabia que esses prêmios existiam, e no Festival que eu fui em julho em Biarritz, que no ano anterior eu ganhei o melhor filme, era um Festival importante na época, porque era de cinema latino-americano, que o Diblo Kurt fazia, eu estive no júri com Jacob, que era o presidente do Festival de Cannes quando o filme foi recusado, e ele um dia me confessou, quase que me pedindo desculpas, porque é um homem muito delicado, muito intrinsicamente fino, é um príncipe, me pediu desculpas por dizer que rejeitou o filme depois de ter visto só dois rolos, ele não tinha visto o filme inteiro. Então o filme foi de grandes alegrias, de grandes frustrações, porque poderia talvez ter ganhado o Oscar de melhor filme estrangeiro, se ele pudesse ter sido inscrito na data certa. Quando nós inscrevemos ele, já tinha vencido a data de ser considerado, e o filme, quando terminou a década de 1980, a revista *Premiere*, que naquele momento era muito importante, fez a relação dos filmes mais votados por todos os críticos dos EUA, uns cinquenta ou sessenta críticos, e meu filme, entre os filmes estrangeiros, estava em terceiro, estava primeiro *Fanny e Alexander*, depois *Ran*, de Kurosawa, e o terceiro, o *Pixote*. Eu tive todas as alegrias que um diretor carente possa ter em relação ao filme, eu não sei se todas elas são merecidas, eu sei que não trabalhei pra consegui-las, foram dadas por pessoas que eu desconhecia, a distância deles e delas, talvez, de alguma forma, me tenham impulsionado para eu ter mais confiança em mim mesmo; e como retorno financeiro, foi praticamente nulo o filme, eu precisava viver de cinema, era a minha profissão, e eu inventei de fazer um filme em inglês no Brasil e fiz *O beijo da Mulher Aranha* em inglês, e eu não falava inglês. E foi um filme que, o romance do Puig era um primor, a gente teve a habilidade de poder escolher o melhor do livro, eu tive a iluminação de fazer um filme interessante. E o filme termina e, concomitantemente, eu descubro que estou com câncer. O filme estreou no mercado americano e foi indicado a quatro oscares, melhor filme, melhor roteiro, melhor diretor e melhor ator. E ganhamos melhor ator.

Teve um momento em que eu me aproximei, nos encontramos, melhor dito, nas duas cerimônias de recebimento de prêmio com um ator que eu admirava muito que era Burt Lancaster. Ele estava recebendo os prêmios, também nas duas cidades sobre o papel dele no filme do Louis Malle chamado *Atlantic City*, e ele me perguntou o que eu estava fazendo, e eu falei pra ele do livro. Ele tinha ouvido falar do livro, me ligou e me convidou pra ir pra Los Angeles e conversar com ele. Eu começo a desenvolver o projeto tendo ele como ator para fazer o Molina, o personagem do William Hurt. Apesar de que ele era bem mais velho do que o personagem que eu imaginava e tinha escrito no livro, achei que isso não interferia muito e que era aceitável e absorvível dentro da narrativa. Foi assim que foi desenvolvido o projeto, ele me sugeriu Raul Julia, que era um ator porto-riquenho que ele tinha visto na Broadway fazendo *Threepenny Opera*, do Bertolt Brecht, depois tinha visto ele fazer *Nine*, esse filme que fizeram agora com Daniel Day-Lewis, e Raul se encantou pelo projeto algumas semanas antes de começar a filmar. O dinheiro foi todo conseguido no Brasil porque, no mercado internacional, ninguém queria gastar um centavo num filme que era 90% dentro de uma cela, onde um personagem gay conta a um prisioneiro político os filmes antigos. Então a premissa já era totalmente rejeitada.

Foi o primeiro beijo gay do cinema?

Foi considerado o primeiro beijo masculino no cinema, e foi coincidentemente no ano que se descobriu a aids através da revelação de Rock Hudson, um ator importante no mercado americano, quando ele reconheceu estar com o vírus. Então foi uma série de fatores e coincidências que, de alguma forma, fizeram todas essas situações dialogarem entre si, apesar de que cada uma residente num espaço e num tema totalmente diferente, e nas vésperas de começar a fazer o filme, o Burt Lancaster infarta e tem que fazer duas pontes de safena, uma mamária. A filha dele, uma moça chamada Joana, que eu não conheço, me ligou e me disse: "Papai não pode fazer o filme, está se recuperando no Havaí". Eu fiquei perplexo e pensei: vou fazer o filme de qualquer jeito, vou fazê-lo no Brasil, em português. Na minha cabeça, eu queria o Paulo José pra fazer o Molina, e o Chico Diaz pra fazer o papel do prisioneiro político. Eles nunca souberam disso, eu nunca convidei eles e nunca comentei isso com eles, mas na minha cabeça estava certo. Eu tinha visto o Chico Diaz no filme do Sergio Resende, em Brasília, que era um filme interessante, e Paulo José, obviamente, conhecia de toda a filmografia dele, desde *Macunaíma*, *O padre e a moça*, fez o *Rei da noite* comigo, e no que eu estou falando com Raul Julia, do aeroporto de Los Angeles, numa cabine, numa ligação a cobrar à casa dele pra dizer que o projeto tinha morrido, ele me disse: "Você me permitiria dar o projeto a um colega meu que está fazendo um filme em Helsinki, na Finlândia?". Ele me deu o nome, mas o nome não dizia nada para mim, e ele mandou o roteiro para o William Hurt e um ou dois domingos depois, no final do dia, nós tínhamos voltado da praia com a Raquel e as crianças, toca o telefone e é ele que me liga de Helsinki, dizendo que tinha lido o roteiro e querendo saber se eu o aceitava como ator pra fazer o filme. E eu falei que não, que eu estava muito cansado, que eram três anos que eu estava batalhando pra fazer o filme em inglês, com atores americanos, e que eu não ia perder mais um instante pra fazê-lo em inglês, porque eu não tinha dinheiro pra fazê-lo em inglês. E ele me disse: "Eu sei que você não tem dinheiro, eu queria que, pelo menos, você me deixasse fazer uma leitura". Digo: "Uma leitura eu topo." Aí marcamos uma leitura em Nova York, peguei um avião, fui, e me lembro que meu táxi parou numa diagonal da casa do Raul Julia, num endereço que eu não conhecia, e eu vejo um outro táxi parando em frente e vejo o William Hurt descendo, eu o vi andar de longe e digo: "Impossível!". Era um jogador de futebol americano andando, um homem forte, alto, sei lá, um metro e oitenta e cinco, um metro e oitenta e sete, bem mais alto do que eu, uma figura que, pra mim, foi uma rejeição imediata, e pensei "já estou aqui e não posso dar cano". E entrei na casa do Raul.

Quer levantar?

Não. Aí chegamos, nos apresentamos, tomamos um café e começamos a leitura, e eu na página três estava chorando, eu não podia acreditar na transformação daquele homem, aquele gigante se transformou num passarinho com uma voz apagada, gemida, por momentos, por outros momentos sem humor como que buscando algo, e aí foi, encontro com os advogados, contratos onde ninguém ia receber um centavo, todo mundo ficava sócio do filme, e aí trouxe ele para o Brasil, consegui uma permuta no Hotel Maksoud, em São Paulo e deram uma suíte pra ele.

18:10:50

Como foi o processo para criação do Molina, um personagem tão brilhante e complexo que levou um Oscar?

Bom, o processo de criação dos atores e a relação com o diretor não são estanques do início ao fim, elas passam por diferentes mutações ao longo do trabalho, a não ser em filmes em que isso não interessa ou filmes nos quais o diretor tem um preparador de atores e acha que o preparador de atores faz para o ator é o que ele quer para o filme, enfim. No meu caso específico, eu me lembro que, à medida que iam nas leituras de mesa, e quando levantamos e quando começamos a trabalhar no local, começamos a trazer adereços de roupa. E um dia, ele me aparece com um maquiador que ele trouxe às custas dele, nós não podíamos bancar um maquiador – era um maquiador que tinha feito *Estados alterados*, do Ken Russell com ele, um dos grandes maquiadores americanos –, e tinha feito nele um rabinho de cavalo, uma maquiagem leve, uma pinta de beleza; e eu, quando o vi, me assustei, ficou parecendo um travesti, um "traveco" de quinta, daqueles que ficavam na esquina da Major Sertório atrás do Hotel Hilton em São Paulo. Aí eu despenquei: "Como vou fazer pra convencer esse homem de que este não é o caminho?". Fui até o camarim, fiz ele tirar a roupa, deixei ele nu na frente do espelho, de corpo inteiro, como este aqui, e eu falei: "Olha pra você. Você tem um corpo perfeito, parece um jogador de futebol americano. Imagine que você quer ser uma dançarina, uma bailarina do Ballet de Nova York, essa contradição eu quero que você construa o personagem; depois, se o personagem vai ter rabo de cavalo, uma pintinha de beleza, se vai ter batom na boca, brinquinho, isso é acessório, você primeiro me encontre o personagem". Fui embora e pensei que ele fosse embora. No dia seguinte, me liga o Ramalho que era o diretor de produção e me diz: "Hector, o Bill tá perguntando se a gente poderia pagar para o maquiador umas férias de uma semana na Bahia, porque ele quer ficar com o maquiador que está trabalhando com o Raul, porque ele chegou à conclusão de que não precisa de maquiagem". Digo: "Resolvido!". Então, teve momento como esse, e teve um momento que ele perdeu o personagem, aí eu dei a ele um rabinho de coelho, que era um chaveiro, e digo: "Cada vez que você perder o personagem, você vai num canto, sente a textura da pele do coelho e faça um reencontro com a suavidade e a meiguice desta fofura". E, às vezes, eu via ele no canto mexendo naquele chaveiro. Era uma coisa muito engraçada, aquele homem grande, com um quimono verde com aquele negocinho, fazendo assim, era muito engraçado. E teve dias que ele se recusava a filmar, dizia que eu era um *vampire*, que eu estava chupando o sangue dele e eu respondia que estava chupando o sangue dele, mas estava colocando no filme Kodak, e tudo isso gritado e brigado a um metro de distância um do outro, com o assistente de direção, o Amilcar, para quem o William Hurt falava, e o Amilcar me traduzia, e eu falava para o Amilcar e o Amilcar traduzia pra ele. Houve dias em que a gente não se falava, não se cumprimentava, esse foi o resultado. Me lembro que, quando terminou a mixagem, em Nova York, no *NY One,* eu falei para ele vir pra ver o final, fizemos uma passada do filme já mixado no dia seguinte de termos terminado para ter certeza se era o filme. Porque aí ia pra cortar negativo e não se podia mais fazer câmbio. Eu me lembro de que ele assistiu ao filme, levantou, colocou o cachecol, era pleno inverno, era em janeiro, frio filho da mãe, olhou pra mim e disse "Isso é *classic*" e foi embora. (*Ri*) Eu não sabia o que queria dizer com "isso é *classic*". Pra mim, *classic* rima com música clássica, eu não tinha ouvido dentro do vocabulário inglês que *classic* representa algo... *Casablanca* representa um *classic* pra eles, é um filme que vai ficar pra sempre. E foi a única coisa que ele disse. É um querido, ele é um querido, conflituado, difícil, mas um querido. Porque o gesto dele para fazer o personagem pra mim é definitivo, porque se ele não tivesse feito esse gesto, o que só poucos homens são capazes de fazer, com tamanha humildade, com tamanha vontade, que eu acho que ele merece tudo o que teve em retorno, como ator, como homem, como profissional. E eu termino *O beijo da Mulher Aranha* e estou com câncer, tinha 38 anos.

18:18:00

> *Você já tinha estreado o filme? Já tinha sido indicado ao Oscar? Não.*

Não. Tinha terminado o filme, voltei pra São Paulo, porque aí era trabalho de laboratório, trabalho que o David, o mandachuva na época, comigo, se ocupou, porque isso ele sabia fazer, a vida inteira trabalhou com finalizador de filmes, um homem de *marketing*, os cartazes dele, essa área dele, ele é muito bom. A única área. E ficou com ele, eu só voltei a ver o filme de novo em Cannes. Terminamos o filme em janeiro e Cannes é em maio, nesse meio tempo, eu tive câncer, o câncer foi encontrado.

No auge da sua carreira.

Me lembro quando o filme estreou em Nova York.

Corredor parte IV

Ele disse que era um montador e ficou na casa de uma amiga nossa que estava filmando em outro estado, emprestou a casa e tudo foi muito louco. Muito louco porque... Assim contado, parece que as peças se encaixam como num quebra-cabeça, mas faltavam muitas peças no quebra-cabeça. A gente, eu fiz a coisa acontecer de alguma maneira porque as peças não estavam escritas para serem encaixadas, disso eu tenho certeza absoluta. Eu me lembro de que não tínhamos dinheiro para ir à Cannes, não tínhamos dinheiro pra fazer *inter negative*, tirar cópias, fazer subtítulos, devíamos, na época, 35 mil dólares ao laboratório MGM, que não nos permitiam fazer cópias se não pagássemos. Estávamos fritos, o filme não ia pra Cannes, tinha sido aceito pra competição e nós não tínhamos condições de mandar o filme, nem de fazer um panfleto do filme. Aí começamos uma peregrinação à procura de *sponsors*, e eu me lembro de um produtor ou um distribuidor que, em troca de pôr o nome dele como produtor, fez uma única exigência pra bancar tudo: que fosse trocada a música do filme e fosse colocada a música do Julio Iglesias. Eu mandei ele tomar no cu. E assim fomos indo, e aí apareceu

Island Alive, uma distribuidora nova do Chris Blackwell, gente boa, que gostou do filme, bancou, fez um bom trabalho, lançou na América.

02:27

Tem um fio de cabelo meu em você.

É? Teu?

Meu não!!! De quem é?

Pode ter crescido.

De quem era esse fio de cabelo?

Não sei, será que não é teu? Que cor ele é? Fala... Ai, estou cansado.

Por hoje já estamos terminando.

Já?

Por hoje só.

Já? Que horas são?! Seis e meia.

Quer falar alguma coisa? Pensa se quer falar alguma coisa até acabar o charuto.

Gente, comi demais. Não, não, comi demais.

04:45

Engraçado, eu estou com várias perguntas, mas se você quiser falar alguma coisa, teremos vários outros dias pra fazer.

O curioso é que o Manoel Puig morreu sem nunca ter me dito se gostava ou não do filme, que louco. Porque o sonho dele era ver a adaptação dele do *Beijo* na Broadway, como um musical. Ele morreu antes de o musical acontecer. A primeira transcrição do livro para outra mídia foi o filme, nunca foi feito outra coisa. E eu penso também: que bom que ele morreu, porque ele ia ficar envergonhado com o que fizeram os americanos do livro dele.

> *Não tinha música? No Brasil também teve...*

No Brasil teve a peça com Rubens Corrêa e o Luis Fernando Abreu, que era jovem. Era interessante a peça, mas era muito chanchada, porque o Rubens Corrêa fazia uma bichona bem caricata com tamanco, que batia tamanco no palco quando andava e foi um sucesso no Teatro Ipanema, ficou muito tempo em cartaz. Eu vi o espetáculo.

06:30

> *Qual o verdadeiro ator pra você?*

Boa pergunta, o verdadeiro ator pra mim... Eu vou te contar uma anedota: antes de fazer o *Ironweed*, no dia anterior a começar as filmagens, digamos que fosse uma segunda-feira, tanto faz, no domingo, eu recebo um recado na minha secretária eletrônica do Jack Nicholson, que fazia o papel principal, me convidando pra comer uma pizza na casa dele à noite, no domingo. E eu vou na casa dele às seis da tarde, isso na locação, ele alugava uma casa e eu alugava outra. Eu cheguei lá, comemos a pizza, vimos uns videoclipes que tinham mandado pra ele em cassete, numa determinada hora pensei em ir embora, umas nove da noite, ele me disse: "Queria te fazer uma pergunta. Há duas formas de fazer um filme comigo, e ambas as formas eu vou te dar o melhor de mim". E eu pensava: Será que eu estou entendendo errado? Como pode haver duas formas de trabalhar com ele se, em ambas as formas, ele vai me dar o melhor dele. Eu digo: "Não entendi". E [ele] disse: "Pra fazer um filme comigo eu vou te dar o melhor de mim, mas a gente tem que escolher a forma que vamos trabalhar". E eu digo: "O que seria isso?". Ele falou: "Comigo e sem mim". E eu falei: "Com você". Essa é a resposta que eu tenho para como trabalhar com um ator, o ator que trabalha como o diretor, não o ator que espera que o diretor diga o que quer dele. É isso. Diz tudo, não diz? É o ator que, ao invés de perguntar: "Aonde eu vou, o que eu faço?", ele vai fazer a cena e vai tentar encontrar coisas e juntos vamos decidir o que é melhor para a cena. Esse é o ator que interessa. Não aguento mais, chega, deixa eu filmar você um pouco.

É muito agoniante ficar do lado de cá?

Você sabe que, quando fiz como ator o filme de Julian Schnabel, o *Before Night Falls*, *Antes do anoitecer*, eu trabalhei como ator. Então havia uma cena em que está todo mundo vendo um julgamento que havia de um personagem da história e o meu personagem estava com a mulher de um cara que se suicida, eram umas cinco ou seis pessoas vendo aquela televisão, e havia um *traveller* por detrás da gente, a câmera saía de um lado e terminava no outro, e quando o *travelling* começa e está indo, quando chegou no último momento eu falei: "Corta!!!", como se estivesse dirigindo, e eu era um ator. O Julian morria de dar risada, estava deitado feito uma *maja desnuda*, aquele quadro do Goya, comendo uns queijos que tinham chegado em Nova York com uns *bagels*, uma figura, parecia madame de Pompadour. Eu fui feliz naquele filme, foi tão gostoso lá no México, tive a oportunidade de conviver quatro ou cinco dias, oito ou dez horas por dia com Dennis Hopper. Saíamos juntos com um motorista e passeamos nas ruínas das antigas civilizações maias, estávamos bem, bem na área que isso acontecia, ficamos muito amigos. Morreu.

Javier Barden.

Javier estava no filme também, mas ele trabalhava muito, porque estava em todas as cenas, então, às vezes, a gente o via no jantar, os horários dele eram muito malucos. Eu fazia um poeta gay cubano, eu cuidava dele, mas eu fui péssimo. Das cinco cenas que eu filmei, duas eram impossíveis de serem montadas, é muito difícil ser ator, é muito difícil... Chega, já não quero mais esta porcaria, já deu o que tinha de dar [*mostrando o charuto*], vamos deixar ele morrer, senão ele vai queimar o plástico, já tenho prática com isso.

> *Teu fiel companheiro, este é o teu fiel companheiro.*

É o último, não vou comprar mais.

> *Há quantos anos você fala isso?*

Não, da última vez fiquei dois anos sem fumar. Não vou comprar mais, não tendo, não se fuma.

Tu letra
es el fascínio de lo
que no se olvida.
La mueca, esta sí,
se diluye
se desdibuja
se atropella
se corrompe
se deshace
se recompone
gravita
y de ella emerge
un tótem
silencioso y terminal.

Alado y jovial.
Simplemente eso.

Distante desejo

Mosteiro
sabedor de silêncio
intrépido sussurro.
A impossibilidade do possível
es
Castigo.

Uma lágrima
não é tudo
ou quase nada.

Especialmente agora
que revi
o túnel, o espelho, a mirada oca.
E a carne geográfica do nosso passado.

Eclipses de
cores formadas na mágica
de olho reconstrutor,

na mais vaga espumatura.
Estive lá, te estando
e te vendo ser

Microscópica porcelana
vento aguado
tensão de línea inacabada pela curva do mundo.

Te quiero
e afundas na distância
E escorres por entre a pele o árido leitoso
Da minha dor.

Todo se agita quieto
desde su plenitud de objeto.
En mi frente revolotean locos
inertes llamas de seda
sobre el lecho, fresco
mi vida busca
un recuerdo para mi voz.
El aire me espera, junto a un
charco de aguas quietas
estoy siendo perforado, doblado hacia
dentro por el tiempo sin
espera.

- -

Hoje se abre este olho, vidrado, por todo
O passado, mas incerto em sua ternura atual
Ficam os ouvidos chorosos dos amigos
Que se esqueceram e não encontro a
Ponte com o Hector de ontem.
A selva não serviu para desgarrar,
Nem para mostrar seus dentes, e para
Evitá-los. Está simples o esquecimento de todo
O anterior.
Mas, e por quê? Este _____ com a memória
Diante da palidez do presente?
Onde encontrar o vão
Sem virar os olhos para trás?
Desnutrido, sedento. Esta paz presente
Não pode durar muito mais.
Não pode parecer a beleza da dor,
Numa calma sem celofane.

Trilhos

Os grandes lugares, às vezes, você pode encontrar num cruzamento de três linhas que não vão a lugar nenhum. Me lembro daquele conto do Borges que se chama "O jardim de caminhos que se bifurcam".

Elas são o que são, mas elas têm luz, têm vida, têm ideia, elas são sugestivas, é assim que nasce a ficção, nasce de você inventar uma sensação e desenvolvê-la. E a minha grande pena, a minha grande dor é não poder ter exercido isso mais, muito mais. É ter tido sempre uma relação tão difícil com o fazer, é como se o imaginário, ou o pensar, tivesse tanto para querer ser feito ainda e ver que o tempo está ficando curto e a sensação de que a grande obra não foi feita, é como se a grande obra ficasse sem ser feita, porque as condições de trabalho não foram possíveis, porque não houve facilidade, não houve energia pra conseguir as coisas, porque nada ajudava e nada ajuda, ainda hoje. Então, quando eu vejo, de repente, esses trilhos que não chegam a lugar nenhum, que se encontram e se desencontram e se tocam e se separam, eu poderia inventar dez histórias em cima disto aqui, não quer dizer que elas serão interessantes, mas pelo menos elas poderão ser um exercício existencial do ponto de vista de poética, do ponto de vista de um universo criativo, do ponto de vista de utilizar o meu tempo possível sensorial ou aberto da forma mais rica possível.

Eu tenho um afeto com a palavra resiliência, que é aquilo que fica, aquilo que não quer ir embora, aquilo que chegou pra fazer uma marca, que não quer, que não veio de passagem e aí, mais uma vez, me reuni com algum mestre, que é o Francis Coppola, que me disse um dia que o importante não é saber quantos filmes fizemos, ou quanto público deu, os prêmios que ganhamos, o importante é a razão de nossa vida, é ter a certeza de que, com o trabalho que a gente fez, crie imagens que nunca saíram da memória, do inconsciente, pelo menos uma imagem. O que realmente é, que é aquilo que fica, aquilo que faz com que a pessoa te olhe e se identifique com o teu trabalho, ou que não se identifique ou que te pague um certo respeito por algo que você fez por ele e você não sabe o quê. Por isso eu acho que vale a pena ter escolhido esta profissão e ter sabido que a gente, pelo menos, algo direito a gente fez.

Talvez a palavra tenha sido refúgio, onde fui encontrar e me alimentar para conseguir entender melhor algo, porque ser judeu é ser nada, e ser judeu é você não pertencer, é você não ter nascido num lugar, é você ouvir os teus pais e os teus amigos e os amigos dos teus pais falar uma língua que não se fala em nenhum outro lugar na rua. Eu acho que a palavra, assim como o cinema, como um lugar escuro em que a gente procura proteção e distração, foram meus guias. Eu me refugiava muito na leitura, eu me lembro de que eu sonhava em ficar doente para poder ficar em casa lendo na cama, sonhava acordado: "Ai, que bom seria se amanhã eu ficasse doente pra poder terminar aquele livro". Eu me lembro de que eu peguei o *Quarteto de Alexandria*, de Lawrence Durrell, que eram quatro volumes, quatro tijolões, e os li numa gripe, de cabo a rabo, aí eu fiquei fascinado com a figura dos nomes da Justine, Domicine, umas imagens eróticas, de uma suavidade, o perfume, formas de viver. O encadeamento da palavra me despertava, foi assim que eu cresci. Eu devia ter doze ou treze anos, catorze talvez. E, naquilo, eu fui encontrando um refúgio, era uma forma de eu me esconder do mundo que me era hostil. Havia uma hostilidade além da psicológica, havia uma hostilidade que era o que gerava a hostilização que era o fato de eu ser judeu numa comunidade muito antissemita, muitos dos meus colegas de escola, com quem eu ia andando e íamos nos encontrando pelas ruas porque se fazia tudo a pé, pertenciam a facções de ultradireita que louvavam o modelo fascista.

Havia um bairro que se chamava Taquara, agora me lembro, Taquara... E se vestiam feito nazistas, babacas, faziam "*Heil Hitler*" e se reuniam aos domingos de manhã. Então você vai começando a se esconder da tua origem, tendo vergonha dela, achando que aquilo que você, de onde você vem, é algo que não é aceito. E aí, mais uma vez, você se refugia no reino do livro, nos escuros do livro que se abrem e te oferecem outras realidades, tive várias felicidades que me ajudaram a me encontrar.

Minha geração, de uma forma ou de outra, encontrou os mesmos filmes em diferentes culturas, em diferentes países ao mesmo tempo. O cinema era algo que se cultuava e se assistia com muita frequência naquela época, até porque não havia televisão. Eu diria que, na minha cidade, a televisão entrou alguns anos mais tarde do que entrou em alguns países, ou pelo menos a mim me parece. Eu me lembro de que, quando comecei a sair de casa, a voltar mais tarde, à noite, porque tinha encontrado outros amigos, um universo novo fora de casa, eu me lembro de um dia estar saindo de casa, e uma caminhonete entrando com uma televisão. E aquilo ficou uma coisa muito emblemática para mim, no momento em que eu me vi um homenzinho, uma televisão entra em casa, e eu já naquela época com doze ou treze anos, muito precocemente tinha lido coisas muito doidas: Hermann Hesse, Camus.

Eu trabalhava numa livraria à tarde para eu ganhar uns cobres. Eu voltava da escola, comia e ia pra livraria e aquilo era o meu refúgio, uma livraria pequenininha numa galeria. Eram duas prateleiras e um lugar pra sentar no meio, e eu me alimentava com muito do que os clientes me comentavam e me recomendavam, obviamente os clientes eram muito mais adultos do que eu e, pelo visto, gostavam de me dizer ou me sugerir coisas, que fui pegando. Algumas coisas li muito precocemente e não entendi nada, *Retrato de um artista quando jovem*, do James Joyce... Você ler esse livro aos catorze anos é uma irresponsabilidade, eu não entendia nada.

Mas o verdadeiro golpe de graça, o verdadeiro momento de encontro se dá quando li o *Subterrâneo*, do [Jack] Kerouac pela primeira vez. Eu me lembro de todos os nomes dos personagens ainda, ela chama-se Mardou Fox e era negra, para mim, negra, eu nunca tinha visto um negro na vida e eu acho que o herói que antecede ao Corto Maltesi é o Jack Kerouac, a figura masculina com a qual eu me identificava e imaginava que eu queria ser algum dia, imaginariamente, quando crescesse, e a ideia dele ser um andarilho, poeta, uma pessoa que sempre evitava exclusivamente no momento de existir, como se não houvesse vida intelectual, o importante era, não sei... Aquelas coisas foram me alimentando, e a vida foi me dando os contornos e foi me dando as limitações, as possibilidades. Eu saí de casa muito cedo, talvez até cedo demais, da minha mãe, até do seio da minha mãe, sinto muita falta, às vezes, do colo materno, como se tivesse saído muito cru de casa por uma, para uma "adultez" muito arrojada, muito difícil.

Eu saí de um universo em que eu era um judeuzinho. Foi a ideia de poder sair daquele local, onde não havia perspectivas, que era a minha cidade, sair da casa dos meus pais, para não ter que honrar as responsabilidades do ponto de vista de filho maior perante a família e o desejo incondicional de querer ser alguém. Era inadmissível a ideia de querer ser alguém ficando lá em Mar del Plata, inaceitável.

Israel era vendida aos jovens como um paraíso sexual e um paraíso comunitário. Morando numa sociedade repressiva como Mar del Plata, onde a ideia do menino e da menina era uma [ideia] excluída e era inaceitável haver qualquer aproximação, a não ser através do casamento, era uma coisa muito absurda. Porque não era algo proposto por uma religião, como é nas culturas, digamos, orientais... Que essa coisa ditatorial tem até um charme odalístico, romântico... Na nossa, era uma coisa muito tosca, muito mal explicada, porque um homem e uma mulher não podiam subir juntos uma escada até uma sala de aula, porque tínhamos que sentar separados. Então, a mulher acabava sendo uma figura improvável, inexistente, era algo que a gente não sabia como lidar com aquilo, e Israel era vendido como um paraíso onde a gente ia pra lá, e a palavra da moda era amor livre, era a ideia de que todo mundo podia transar com todo mundo como se as pessoas não existissem, mas eu já tinha descoberto o teatro. Eu tinha descoberto a representação que era o primeiro pé, o primeiro degrau da criação pela leitura teatral, um pequeno grupo, que era o personagem que me foi oferecido na escola... Eu já achei aquilo muito mais fascinante, tenho até uma foto em sessenta e... Eu estava com catorze anos e fazendo uma peça de teatro, já como ator, usando o anel do meu pai, me lembro, como eu era um pouco gorducho, eu fazia o papel de um pai com o cabelo grisalho. A peça se chamava *Em família*.

Não tenho ideia, minha mãe me disse, antes de morrer, que meu pai tinha muito orgulho das minhas escolhas, mas acho que a minha mãe se referia ao que aconteceu comigo depois de alguns anos de vida profissional. Eu acho que, nos primeiros anos de vida, a relação do meu pai com as minhas escolhas era muito hostil. Lembro-me de um dia que ele chegou a me dizer que preferia um filho morto do que... um filho gay. A palavra que se usava era uma palavra que o Lorca, García Lorca usava, que é maricas, uma palavra andaluza para dizer *maricón*, que significa viado. Aquilo me assustou e, imediatamente, fez meu pai ser uma figura da qual eu queria distância, não queria ficar perto do meu pai. E aí escondia, eu passei a esconder tudo, escondia os livros que eu lia debaixo do colchão, comprava discos com dinheiro roubado que não levava pra casa, ficava ouvindo música, tinha uma lojinha de música no centro de Mar del Plata que tinha um toca-discos com uns fones de ouvido, e eu ficava horas ouvindo música clássica. Lembro um momento com um amigo, era um cara que era muito amigo, um cara que ia pra escola, me lembro da casa dele, onde ficava, Buenas com Godoy, que me introduziu ao jazz pela primeira vez e percebi que havia outra música. A música que se tocava na Argentina, o tango, já estava em desuso, mas eu descubro através desse amigo que gostava de jazz, eu devia ter 14 anos, e descubro Piazzola, e a ligação foi imediata, a transferência da melancolia do tango por aquela coisa desconstrutiva, desobstruída, aquela coisa lamentada do *bandoneón*, foi um casamento muito forte que eu amei, ainda acho que eu tenho o primeiro *long-play* do Piazzola, que chamava *Nuestro Tiempo*, um em que está o Piazzola assim na capa de lado com terno e gravata, e onde estão as principais músicas dele nas primeiras gravações com o primeiro grupo dele.

América? Nunca tive o menor interesse em entrar lá, por uma razão muito simples: eu não sabia que ela existia, talvez se eu soubesse poderia ter sido um desejo de chegada, como forma de justificar um mérito, de ter um reconhecimento por aqueles que eu considerava os mais importantes, eu não sabia da existência deles. Eu, quando fiz os filmes, estava tão absolutamente focado – isso vejo hoje – e ensandecido pelo desejo de lograr aquilo que eu desconhecia, a existência do mundo exterior.

O dia da estreia de *O beijo da Mulher Aranha*, em Nova York, que nunca se viu nada igual em Nova York, que eu saiba, era para ser em dois cinemas e acabou sendo em cinco, tamanha foi a demanda de ingressos. Me lembro, andando solitário pelo Central Park, às quatro horas da tarde, sendo que aquele "dia", entre aspas, seria o dia mais importante que poderia acontecer para um cineasta, você ter um filme. Me lembro de David Lynch me ligando no Hotel, Gus van Sant, que não era o que nós conhecemos hoje, e nem o David Lynch que nós conhecemos hoje, eram cineastas como eu, que tinham o interesse em ver um filme de um outro cinema, Paul Mazursky, Brian de Palma, eu nunca achei aquilo importante e não acho ainda hoje nada daquilo importante.

Eu sinto que, a vida se vai, a vida é uma história que passa, tem cineastas, sem citar nomes, que se julgam pilares de alguma história que está sendo contada, tijolos de uma parede que está sendo construída, de algum monumento...

Eu, pra dizer a verdade, eu tenho vergonha disso. Eu ainda gosto mais da relação silenciosa com o espectador anônimo, que não sei quem é, do que do reconhecimento público. Eu tenho quase que uma sensação, não digo de repulsa, mas de incômodo em relação à representação social, o reconhecimento, eu acho isso uma fraqueza do outro, não uma virtude minha, sinto como se o outro precisasse se alimentar de mim para dar luz à vida dele, é aquilo que se faz muito, foder com o pau do outro. É muito comum isso na nossa profissão. Tem pessoas que se aproximam muito porque precisam ser reconhecidas para eles mesmos através da luz que o outro lhes dá. Eu nunca tive isso.

É uma vergonha, é uma invenção da modernidade, eu não quero nem pensar como seria no século XIX, no século XVIII; como era a receptividade que havia para um grande músico, por exemplo. Eu acho que havia um protocolo de relação, havia formas de remuneração, havia encomendas de serviços que hoje eu nunca tive, nunca ninguém me disse: "Te encomendo um filme e te pago pra pensar". Nunca ninguém me pagou para pensar, nunca, nunca. Então essa coisa nova da fama, da celebridade, de ser reconhecido, eu acho uma tristeza.

A minha vontade de ainda querer fazer algo que não se faz mais, que praticamente não encontra mais espaço real dentro da sociedade, e você se pergunta: "Por que há um colecionador de selos se não se mandam mais cartas?". Por que um taxidermista que cuida de borboletas, se a borboleta não tem a menor finalidade, duram 24 horas? Por que alguém que, de repente, num rompante de dor ou de alegria, escreve uma frase? Eu acho que... é que o cinema é uma coisa muito grande; mas, no fundo, é uma coisa muito pequena, como uma flor, você ter uma ideia e querer contá--la, é só isso que conta, mesmo que você precise desta parafernália de merda, a moça do som, as garotas da câmera, os técnicos fazendo o filme do filme que nós estamos fazendo, essa barraca que gira com manivela, a gente existe para que eles existam.

O ato de fazer cinema é quase como um casulo, ele nasce de uma coisa, é uma noz, uma coisa fechada, ela nasce, ela brota, ela se desenvolve e, depois, ela adquire uma função, uma identidade social enorme, mas continua sendo uma sensação que a provocou. Sei que eu pareço meio babaca, o que eu estou falando... Mas, então, qual é a função do cinema? É que, enquanto você tem a vontade de ter uma sensação própria, de querer contar e de dizer algo, não porque você quer dizer algo, ou porque você quer contar algo a alguém, é porque você quer dizer aquilo porque se você não deixar aquilo brotar não vai ser bom pra você, você estaria se machucando. O cinema existe, mesmo com todas as afirmações de que ele está morto.

Eu já fiz televisão e fui extremamente bem-sucedido dentro dos padrões deles, com ibopes altíssimos, no seriado do Carandiru. No dia seguinte, que eu percebi que, no mesmo horário em que tinha passado algo que eu dei o melhor de mim, havia outra coisa, eu senti que a velocidade do veículo era mais rápida que a minha capacidade de processar a existência dele, e eu me afasto, me afastei com medo. Não quero ainda ter uma relação com o efêmero, tento buscar uma relação com o eterno, com o que fica, não com o que passa.

Lúcio Flávio
Tudo o que eu posso dizer me soa tão oco, tão inócuo. Eu me assustei quando eu cheguei ao Brasil, eu desconhecia a existência da impunidade como elemento comportamental, eu desconhecia a ideia de que um ser humano, ao ver algo acontecer, não pode se perguntar o porquê daquilo estar acontecendo. Parece muito primário, mas me parecia que ninguém fazia, então eu te diria que o *Lúcio Flávio*, que foi o meu primeiro filme de fato, o filme encontra uma realidade quase que mítica. Eu achei que eu estava fazendo um filme politicamente plausível naquele momento, a censura estava muito forte, era o ano 75, então é óbvio, havia um pânico de que meu filme fosse preso na censura, o que, de alguma forma, me incomodava brutalmente, detestava a ideia de ser mártir de um modelo ditatorial, preferia poder existir através dele, feito um invasor, feito um espião, feito alguém que consegue se infiltrar, muda de identidade... um pouco o que eu fazia com os meninos góis na Argentina. Eu era judeu e fingia que era católico pra não ser molestado, pra não sofrer *bullying*, então eu também quis fazer *bullying* na ditadura, eu quis falar de coisas do jeito que eu podia pra poder sobreviver, e *Lúcio Flávio* é um pouco isso. É um pouco o olho de um pequeno canalha argentino que se apropriou de uma história arquetípica, de um bandido não negro razoavelmente alfabetizado, e que foi massacrado por suas ligações com a polícia, que era representada por um facínora que obedecia ordens do exército. Achei que havia aí uma triangulação, havia um conduto para poder falar sem que ninguém percebesse de coisas que me interessavam na época, isso foi o *Lúcio Flávio*. O *Pixote* surge um pouco mais em negação da rua, de ver aquelas crianças vivendo de uma forma miserável, hoje já se tornou tão presente quanto uma nuvem no céu, ninguém absolutamente se assusta, o olho das pessoas está tão habituado, aquilo nem se absorve, é um processo que entra e sai. Aqueles que conseguem reter na sua retina uma Polaroid de algo que flagra um momento, a dor, desamparo, sensações ancestrais, quase que simbolicamente eternas da condição humana, e consegue desenvolver uma dramaturgia através daquilo, aquilo me pareceu um ato heroico, um ato que deveria

ser consolidado, perseguido, e foi assim que eu me alimentei pra fazer aquilo. Não foi um amadurecimento político ou um amadurecimento profissional, foram sempre extensões do meu inconformismo. Meus filmes, de alguma forma, eu acho que eu chego, por exemplo, em *O beijo da Mulher Aranha,* muito mais na idade de que eu estava perguntando qual era a função do ser homem, no sentido existencial da palavra, não ser meramente de opções sexuais, e eu gostava do livro do Puig que, de alguma forma, colocava de uma maneira muito antagônica, quase que caricatural, a ideia do afeminado, oculto, delicado, sensível, como minha mãe falava: "*Sos un chico sensible*", como se outros não o fossem, ou como se *sensible* fosse um atributo não muito legal, *sensible* era um pouco fraco, manhoso, não era legal ser sensível. E a ideia do político, eu tinha passado já pela fileira do PCdoB, e eu via o horror que era aquilo, aquele pensamento armado, estruturado, sem espaço para respirar, e aquilo me levou a tentar encontrar uma resposta fazendo filme, ou a tentar achar algo que pudesse ser uma resposta, se achei ou não, não sei.

Eu me naturalizei quando fui fazer *Lúcio Flávio* porque achava que pra falar mal da polícia não podia fazê-lo como argentino, tinha que fazê-lo como brasileiro. E como o despachante tinha me dito que havia uma lei, a lei da naturalização, fazer com que você se naturalizasse você não precisava, você não precisava mais dizer que era naturalizado, você era de fato brasileiro, um cidadão. Achei que aquilo me preencheria o lado de me sentir confortável para poder enfrentar a fera de fazer esse filme naquele momento. Que é impossível de entender hoje, foi feito em 74, 75, no pior momento da ditadura, na transição, acho que do Costa e Silva para o Geisel, eu acho, ou para o Médici. Era um horror realmente, eram épocas muito difíceis. Outro dia, por exemplo, me deu uma vontade de... mas me veio em mente as tantas pessoas que dormiram e se alimentaram e passaram temporadas na minha casa escondidos, de nenhum deles me ficou uma lembrança tão forte como de uma moça, muito jovem. Foi deixada no meu apartamento num momento em que a minha mulher tinha me deixado e levado a minha filha, e aquele vácuo que provocou a saída de uma companheira foi de alguma forma ocupado por uma guerrilheira, ela estava ligada a algum grupo armado... Não me lembro se foram dois ou dez dias, me lembro dessa pessoa dormindo na sala, jogada no chão, num colchonete. Nem sei por que estou contando isso, porque essa imagem tem sido muito recorrente de minha cabeça, talvez seja uma atriz do próximo filme.

Quando saem fotos de desaparecidos no jornal, procuro a cara dela, quando vejo pessoas que foram trocadas por embaixadores e não consigo localizá-la.

Era presença absolutamente quieta. Eu me lembro de pessoas que chegavam e conversavam com ela e iam embora, e eles me pediam pra sair de casa. Me lembro disso, é como se eles fossem em branco e preto e eu fosse em cores, muito louco.

Brasil
O que me aflige no Brasil, o que é o Brasil hoje?

Quais são os valores que realmente nos remetem a acreditar que somos uma nação?

Por exemplo, na Argentina, a sensação de ser argentino, ou ser argentino, não do ser-estar, o ser interior, é uma coisa que se metaboliza como uma grande jornada de um país com uma cultura bem definida, uma cultura do campo, que se mistura com a urbe e cria um pensamento próprio. O Brasil é uma *mélange* de coisas, aí que nasce o tropicalismo.

... que ela acabou sendo minha pátria, minha nação. A língua que eu falo, com acento ou não, que escrevo e penso e..., eu não sei, o Brasil é um, eu não gosto do que o Brasil faz com o Brasil, sabe, eu acho que os brasileiros deveriam querer algo melhor pra eles mesmos, acho que é uma certa indolência crônica, uma certa ausência de caráter que acaba ganhando.

É Macunaíma no mal sentido, porque o Macunaíma tinha um *joie d'être*, tinha uma felicidade. Havia uma coisa infantil no Macunaíma. Você sabe que, antes de ontem, fui ver Chatô; e eu, desde que eu cheguei no Brasil, três momentos me surpreenderam muito no cinema brasileiro. Um foi a primeira vez que vi *Deus e o Diabo na Terra do Sol*, no Cine Bijou, na Praça Roosevelt. Tinha dezessete anos. O segundo, um pouquinho depois, quando eu vi *Macunaíma*, filmado naquelas piscinas do Copacabana Palace e aquele senhor naquele trapézio... Aquelas alegorias todas me remeteram a um universo que me pareceu uma ausência de identidade e um atropelamento de informações fantásticas. E o filme *Chatô*. Eu saí do cinema com uma sensação de brasilidade, uma sensação da história do Brasil através de um personagem sem caráter, um aventureiro, malandro, pícaro, e uma realização do ponto de vista de estilo cinematográfico, que lembra muito aquela câmera que entra procurando sempre nos ambientes que o Orson Welles tem no *Cidadão Kane*, como que alguém está querendo reconstruir a vida de alguém que já acabou de passar dez minutos antes por aquele local e deixou rastros de comida numa mesa, escritos em outra, uma toalha molhada no chão, uma mulher assassinada na banheira... Não sei, eu achei de uma sofisticação visual, estética, o filme que eu quero ver de novo, coisa que raramente me acontece, porque eu acho que perdi muito. Eu sei que o filme é um grande videoclipe; mas, hoje, grandes filmes que foram cultuados pela mídia são videoclipes.

Agora esse filme é cinema. Eu me pergunto por quê, mas ele é cinema.

Argentina é a raiz, o judeu exilado do mundo é argentino. O Brasil é enfeite, é uma fantasia. Às vezes, eu me sinto uma espécie de Clovis Bornay querendo me atribuir uma brasilidade só pelo fato de que exerço o voto, ou porque pago imposto, ou porque moro no Brasil, ou porque, quando viajo, tenho que escrever: cidadão brasileiro etc. Mas, na verdade, eu não sei o que é o Brasil, não tenho a menor ideia, o menor respeito por nenhuma das entidades brasileiras. As poucas vezes que encontrei brasileiros de peso e de índole, foram brasileiros que moraram no estrangeiro. Até talvez por força do exílio, voluntário ou não, que se formaram pessoas mais densas, mais profundas, ou porque eu tenho tido um péssimo dedo pra escolher os meus amigos e achar que não tem pessoas que mereçam a mim neste Brasil.

É como se não houvesse intimidade, é como se ninguém conseguisse dizer a ninguém: "Estou sofrendo" ou "Não estou bem" ou "Quero algo que não consigo" ou "O que você está dizendo me incomoda". Eu não vejo o brasileiro dizer o essencial, eu vejo ele contar o superficial. Numa cultura, talvez se possa contar o superficial, ninguém diz que as pessoas têm que ser profundas, mas aí eu não pertenço a essa categoria, aí eu não viajo bem nessa categoria. Então eu sou um exilado de novo no Brasil. Os argentinos acham que eu sou brasileiro, os brasileiros acham que eu sou argentino, então tá foda! Você tem que aceitar essa ausência de raiz própria, de identidade própria.

O exílio está dentro de você. Não o exílio geográfico, o exílio. Uma geração de exilados não por razões políticas, porque o exilado político, de alguma forma, ele é um pouco herói, porque ele não pode voltar, então aquilo dá a ele uma proximidade, ou porque ficou de fora, ou ficou preso. Eu não tenho culpa nenhuma em atribuir a ninguém por ser exilado, ninguém me disse: "Você é exilado" pelo fato de eu ser judeu, não pareço judeu. No Brasil, pelo fato de ser argentino, não... a verdade é que eu estou só.

O exílio é um estado de espírito. A América Latina é uma latrina, eu nunca acreditei, eu não gosto da ideia de ser latino-americano, eu não gosto da ideia de ser argentino; detesto a ideia de ser brasileiro, eu detesto a forma como os países do primeiro mundo têm se curvado em determinado momento a essas culturas brasileiras lá fora. É uma espécie de prêmio de consolação misericordioso que eu não aceito. A única forma de combater essa arrogância é através da vingança, que é trabalhando na língua deles, contando histórias deles que eles têm vergonha de contar, e isso eu fiz. *Ironweed* é uma história que eles têm vergonha de contar porque mostra uma América que eles escondem, e que esconderam a vida inteira, que eu fui capaz de mostrar de forma contundente. Está explícito no livro do Kennedy, o *Ironweed*. Eu tentei, mais uma vez, desmistificar a cultura anglo-saxônica através do seu máximo, que é o evangelizador. Não se esqueça de que é uma cultura protestante, americana ou não, mas é protestante, e a figura mais preponderante do ponto de vista de representação da religião, da alma social da América, é a figura do missionário. A pessoa que vai em missão, ela tem uma missão de levar a palavra de Deus. E eu transformei esses caras naquilo que eles são, uns canalhas, porque eles levam uma ideia de desenvolvimento ocupacional a locais onde as pessoas estão muito bem sem eles.

E eles, mais uma vez, se prorrogam o direito de serem ocupadores. Mas são colonizadores e destroem mais uma vez. Então, a América do Sul foi destruída, primeiro pelo império espanhol e português ao logo de dois ou três séculos e, logo depois, vieram os interesses do mais forte, através dos missionários. E eu consegui fazer filmes que derrubaram alguns pequenos ícones da cultura deles, mas não foi proposital. Não é que eu quis fazer isso como alguém que faz o tiro ao alvo e decide, especula com alguma coisa. É mais uma forma... Foi mais uma forma e ainda o é dentro de mim, de querer dizer: "Vão se foder!". De você achar que eu sou um latino-americano, eu não sou um latino-americano porque não represento nenhuma camiseta que seja latino-americana, não acredito na integração das camisetas, não acredito na troca das camisetas, não acredito em nada disso. Nada me torna mais distante de um guatemalteco que um mexicano ou um carioca, então não me venha com esta de *latin america*, isso é uma invenção retrógrada. O que uniu os países europeus foi um sistema financeiro, não foi a atividade cultural. Graças a Deus que temos identidades culturais diversas, por que querer unificar tudo? Por que querer? Deixa que cada um seja o que tem de ser, que história é essa? Enfim...

... Acho que a vontade de querer fazer, a vontade de estar vivo que se materializava através da ideia de terminar o filme... Era como... Estar filmando era estar vivendo um dia a mais, não sei o que vinha primeiro, se era filmar ou estar vivo, muito louco isso.

Brincando nos campos do Senhor
Tem passagens absurdas, coisas vistas aos olhos da distância. Foram verdadeiros atos de agressão a mim mesmo e que, na época, não foram nem vistos como atos de ousadia, foram vistos como obrigatórios. Era como você se alimentar ou ir ao banheiro, e em qualquer outra circunstância teriam feito com que parassem aquele trabalho. Eu tive um surto de gânglios, do jeito que se manifestaram durante as filmagens, e ter voado para São Paulo num avião particular e ter me submetido a operações durante o fim de semana, e eu voltar com quinze pontos na virilha, seis pontos na axila, enfrentar os 42 graus de calor e cem graus de umidade no meio da floresta, andando em rampas e descendo...

Eu me lembro de um dia que teve uma filmagem, ah, não, foi num dia que eu voltei, os índios me pegaram e me carregaram no colo como se fosse uma noiva do *Relatos selvagens*. E eu estava cheio de pontos, me encolhendo fisicamente e rezando para que nenhum dos pontos abrissem, não abriram. Da mesma forma que me lembro que, fazendo o *Ironweed*, menti para a produção. O produtor C. O. Erickson era sueco e, na época, devia ter setenta e poucos anos, tinha feito cinco filmes com Bob Wilson, grandes filmes, grande produtor. Eu falei que ia para o Brasil visitar as minhas filhas durante três dias, num daqueles feriados americanos obrigatórios. E eu me internei no hospital pra fazer extração de medula óssea para congelar em nitrogênio. Coordenado pelo Drauzio, voltava dois dias depois, às sete da manhã, tínhamos reunião na minha suíte todos os dias. Às sete em ponto, chegava todo mundo e fazíamos a pauta do dia. Em qualquer outro momento, eu teria pedido dias para descansar ou tempo para me recuperar. Eu acho que eu me violentei muito.

Era a vontade de fazer aquilo que se escolheu fazer bem-feito, fui péssimo aluno na escola, nunca fiz as lições de casa, sempre fiquei em segunda época, então eu nunca terminei bem nada, nunca me preocupei, sempre fui um cara muito cagado, tudo que eu começava dava errado, então sei lá, de repente, não sei por quê.

... eles representam uma cultura onde trabalhar não é um dom, é uma obrigatoriedade. As pessoas nascem para ter trabalho, para ter funções. A gente trabalha pra poder descansar, ou trabalha pra depois poder ficar sem fazer nada.

Na cultura deles não existe "fazer nada", existe o "estar fazendo", e é uma alegria natural dentro deles, que faz com que eles façam aquilo que eles fazem como um torneiro mecânico trabalha uma peça no seu torno, como um sapateiro faz um sapato, sendo que são atores, obviamente. Tentam encarnar ou personificar aquele personagem que eles estão inventando. O que eu aprendi foi desmistificar a ideia de que a gente é melhor, de que o outro pode ser superior. Eu já não aceitava isso entre nós, aí quando tive a possibilidade, tão jovem, de ver o estrangeiro a que a gente se ajoelha, ser uma pessoa tão natural, tão tranquila, te tratando de igual pra igual, me deu uma sensação de que não são eles melhores do que nós. Em nenhum momento. Eles simplesmente desenvolveram melhor uma cultura narrativa, fizeram daquilo uma indústria, contaram as histórias que eles decidiram contar e transformaram isso num produto, num negócio, num *business* chamado *entertainment*, como a automobilística... como tem a indústria automobilística. Nós sempre ainda temos um ranço humanista, luso-espanhol de achar que o cinema é o traço cultural, em que a identidade da nossa cultura se espelha etc. Punheta!... É também, sim, mas não é isso, não é por isso que a cultura do cinema deve existir. O cinema deve existir porque ele que tem que abrigar e dar espaço a todos aqueles que têm algo a dizer, não porque o cinema é importante culturalmente para o país. Quem é aquele que pode dizer o que é importante para o outro ou não? Isso não existe, são as ações que fazem a força, não as ordens.

Pixote

Nós estávamos almoçando aqui, sentados nos trilhos, só que não tinha cadeira, estava uma equipe aqui, tinham umas seis ou sete pessoas. O Clóvis Bueno, Rodolfo Sanches... E eu olhei e vi um menino brincando de ficar em equilíbrio e eu falei: "Roberto, vamos pegar a câmera.", porque eu achei que isso representava, de uma forma final, o que é o filme. E ele me perguntou: "Vamos fazer o quê com isso?", "Eu não tenho a menor ideia". E aí a gente filmou e guardamos. Porque o filme terminava com ele, depois que sai do quarto da Marília Pera armado. O filme cortava para um grande muro de cimento que é um viaduto que tem em São Paulo, algum grafite... Na época, o grafite não estava na moda, e se via ele chegar lá no muro, aí um ônibus entrava e, quando o ônibus ia embora, ele não estava mais. Aí a câmera se aproximava do que ele tinha escrito, um grafite, uma brincadeira que ele tinha feito no muro, esse era o final do filme. E aí que estava escrito "O mundo é redondo como uma laranja". Era a única frase que ele sabia escrever, que ele aprendeu na escola. Aí o John Neschling, que veio pra fazer a música, é primo do Jorge, e me disse: "Ele viu o filme". Me lembro de que ele entrou em casa e disse: "Como? Esse filme tem que se chamar *Pixote*! Ele é o herói do filme". "Você tá maluco", eu falei, "é um filme sobre um grupo, o filme começa com uma identidade anônima, um grupo sobrevive, sai. Se é pra ter o nome de alguém, prefiro que ele chame *Sobrevivente*", aí eu pensei, "mas sobrevivente por quanto tempo? Porque ele vai morrer logo mais". Aí ficou um vácuo um tempo e *Pixote* ganhou, foi ideia do Neschling.

Porque eu nunca me interessei pelo caso Camanducaia como uma situação pra fazer um filme. Eu nunca encarei "ah, vou fazer um filme daquilo que aconteceu". Eu sempre queria fazer um filme de algo que me tivesse chamado a atenção, e que eu pensasse a respeito. E pra mim foi muito mais forte um menino que eu vi dormindo na calçada em frente a Dacon, a concessionária da ww, na Nove de Julho, [tanto] que eu me perguntei: "Quem é? Onde ele mora?". Na época, não se chamava menor abandonado, era um nome social, não era pivete, tinha um nome que os sociólogos tinham inventado, menor carente, menor abandonado... Quem é, onde mora, como chegou aqui, da onde veio, aí fui puxando o fio da meada do fim pro início.

Atores
Então eu acho que se é um cinema brasileiro é a súmula dos filmes que se fizeram, se é um cinema americano, é a súmula dos filmes que se fizeram, lógico. Se há atores que falam inglês e atores que falam português, você me dizia: "O Paulo José não tem nada a dever ao William Hurt, a Marília Pera não é nada menos do que a Meryl Streep, cada uma na sua cultura, eu acho que ambas são tão esplêndidas, uma como a outra". Porque referenciar, digo, reverenciar, não referenciar. Temos que tirar essa necessidade atávica de nos atribuir adjetivos. Somos substantivos *in natura*, somos a pessoa que somos, não temos nada agregado além daquilo que somos. Assim como, quando escrevo, tento eliminar cada vez mais no meu pequeno texto a presença do adjetivo, da observação. Porque eu acho que é indigno, não porque ele é só desnecessário, ele é indigno, é uma muleta facilitadora, espelho da nossa mediocridade, da nossa incapacidade.

Todos nós temos dentro de nós algumas chaves mestras que fizeram com que a gente acordasse para algum universo que não era o do papai e da mamãe, que não era o de casa, eu não saberia te dizer o que veio primeiro, se a palavra ou a imagem.

Tem uma coisa que eu digo no *Meu amigo hindu*. Eu me impressionei muito quando vi uma equipe fazendo um filme na cidade. Eu conto o meu encantamento quando eu vi uma cena sendo filmada, as câmeras, o trambolho gigantesco em cima de um carrinho com luzes noturnas... E, depois, você se alimenta do fabulário do cinema quando se é jovem, das histórias que se contam, dos registros, do filme, e aí que se fazem as escolhas.

Fiz um filme só de publicidade, depois te conto. Eu inventei uma mulher chamada Elke Maravilha. Me chamaram pra fazer um comercial de uma cadeira de um designer famoso, que tinha sido batizada de cadeira Marchesi. E eu vi um dia no Chacrinha essa mulher, em 68, 69... Ela devia ter vinte e poucos anos e eu a chamei pra fazer um comercial com ela, uma coisa totalmente improvável de ser vendida, que era ela sentada na cadeira olhando para a câmera durante 25 segundos. E num momento ela se levantava e ficava só a cadeira, e entrava a cadeira Marchesi. É óbvio que não foi aceito pelo cliente, não era o que eles queriam, mas foi a minha única publicidade. Nunca mais quis saber de ter que lidar com essa gente, vou te dizer. Eu só voltei a sentir algo parecido com o pessoal que faz televisão. É uma sensação de [algo] transitório, de pouca importância que tem tudo. Na publicidade, eu me indignei com o grau de... Não é responsabilidade a palavra... O grau de superficialidade dos objetivos a serem logrados. Depois, o dia que eu vi que tinha que ficar seis horas filmando uma caixa com o nome da etiqueta em diferentes posições, com diferentes luzes, falei: "isto não é pra mim, eu não tenho tempo pra isso, eu não vou dedicar minha vida a isto". O meu compromisso já era outro.

Como muitos fizeram coisas, o Wim Wenders é um cara que vive fazendo comerciais, tem muitos diretores que vivem do comercial. Não tenho nada contra, se você puder fazer um comercial com uma certa liberdade... Sou meio preguiçoso, eu jeca, seria crítico à própria ideologia do comercial, então eu não sou o diretor certo pra fazer comercial. Só estaria criticando com vergonha do que eu estou fazendo, teria que estar acreditando no que você faz.

Já estou esquecido. Isso aqui é uma tentativa de resgate meio bomba, bom é ficar na memória das pessoas.

A morte pra mim é uma coisa simbólica, sei lá. Eu vejo as flores em casa, um dia morrem; eu vejo os livros, vão descascando, um dia não estão mais. Deve ser um momento em que a gente de fato não está mais, eu acho que viver não é fugir, isso é um enigma, porque é uma coisa tão ancestral do bicho, do homem, a ideia da passagem, do rito de passagem, de que aqui estamos por um momento, eu vejo outras gerações vindo, outros pensamentos, outras formas de encarar. Eu ainda acho que o meu ser existencial é mais importante do que a profissão.

Quiere volar hacia el infinito.
Lo máximo que tengo es la vida,
nossa letra, este tipo de papo
que llama a los acontecimientos
agrandar el espacio de conciencia
el preço é a solidão.

La infidelidad de mi alma,
que no me olvida
más bien
que me acopla, contándome
este ligero e ingenuo
rito negro
todo mi reino es de este mundo.

Las veces que pedí algo
jamás logré...
Volví revuelto con redondeles curvado
Doblándose las esquinas en
Interminables curvas de odio.

----

y la delicadeza de
un toro muerto
rompe mis costillas
contra nuestros tobillos
de cristal.

El aire me espera, junto a un
charco de aguas quietas
estoy siendo perforado, doblado hacia
dentro por el tiempo sin
espera.

Interpretar as dificuldades em relação ao envelhecer, por exemplo, com a presença cada vez mais constante da fragilidade do corpo, a presença cada vez mais forte dos equilíbrios, desequilíbrios químicos que te provocam reações que te levam, próximas a algo que eu não sei o que é, das quais você se safa de alguma forma inteligente, ou com a medicina, é uma batalha que eu sei que eu vou perder um dia; mas, enquanto essa batalha não se perde, eu queria poder ir ao cinema.

Meu sonho? Um cinema onde ninguém come pipoca nem bebe Coca-Cola.

> – *O que você vai pedir?*
> **Eletrocardiograma** *on the rocks.*

Estou tomando Cymbalta 60 mg, tô tomando o Neurotin que é aquele Cibalpaltina, é Gabapalzina, uma coisa assim; tô tomando ele numa dosagem enorme, tô tomando 1200 mg por dia, tô tomando 300 de manhã e 900 à tarde. À noite, o que dá 1200 mg. Tô tomando aquele Ultraset, que é uma espécie de Tylex, quando tem dor e, enfim, os remédios habituais, de hábito, que eu tomo desde o início, todos eles, pro coração, e está um desastre, não estou conseguindo dormir.

Eu deito à meia-noite, coloco os adesivos nos pés conforme me foi pedido pelos médicos, todos adesivos fortes, coloco muito bem colocado, tomo um Ultraset, o Tylex da vida... Durmo feito um santo até as cinco da manhã.

Cinco em ponto eu acordo com uma dor insuportável, insuportável. Aí se passaram só quatro ou cinco horas; mas, mesmo assim, eu tomo outro, outro Ultraset e não consigo dormir. Às sete da manhã, tomo outro Ultraset e aí durmo até as 10h30, 11h. E depois acordo e fico o dia inteiro chapado porque tomei a Cibalgatina lá, que eu nunca sei o nome, e tomei a Cymbalta. Eu estou supermedicado e não estou encontrando saída, porque está um inferno a minha vida... Ah, tô com dor, tô com dor, tô com dor, tô com dor... Agora, neste momento, não estou com dor, mas, mas está sendo um milagre. Eu tive dor até uma hora e meia atrás, muita dor... É, tem que colocar uma vez só, tem que por à noite e, antes de doze horas, tem que tirar, mas quer que eu te diga?... Não faz efeito. Eu já senti que não faz efeito, não faz efeito, não faz, não faz, não faz. Por exemplo, agora voltou a dor...

Não sei o que fazer porque estou enlouquecido, cara. É como se não tivesse saída, a minha vida, sabe? Como se não houvesse luz no final do túnel. Tá se começando a misturar tudo, desde a neuropatia às reações do Casodex. Estou com aquela coceira do Casodex brutal, na cara e nas costas, que me dá do Casodex.

Eu acho ainda que é o processo de desintoxicação, ou então é o efeito colateral de algum dos remédios novos que estou tomando... Da Gabaritina ou da Cymbalta, de algum deles está sendo, então. Estou começando a ter retenção de líquido e pressão alta, estou com 19 e 9, minto, 16 e 10, 16 e 9, 16 e 10, tomando, obviamente, diurético. E isso é porque os remédios Florete, Floriner, eu comecei numa medida muito alta, e isso está me dando retenção de líquido. Eu comecei com um e agora me recomendaram cinco, então estou tendo...

Durmo o tempo inteiro... Tô dormindo umas catorze horas por dia, o dia sonolento e na cama dormindo. Eu termino de almoçar e fico aí sentado, dou uns telefonemas, vou pra cama e durmo das duas às 17h30, e durmo com uma sensação de prazer inacreditável, durmo bem.

Tua letra
é o fascínio
daquilo que não se esquece.
O trejeito do rosto, este sim,
se dilui
se apaga
se atropela
se corrompe
se desfaz
se recompõe
gravita
e dela emerge
um totem
silencioso e terminal.
Alado e jovial.
Simplesmente
isso.

Daquilo que se desprende e
não voa.
O que germina é arte.

Abarcar virtude global,
Para ser incerto nas dúvidas
Romper com a obstinada
Relatividade do pensado.
Não existe maior certeza que
O medo contínuo.

A tristeza dos cogumelos
Que se perseguem a si mesmos
Sobre uma corda envenenada,
Concêntrica,
Que sai do corpo e volta ao
Seio.
A flor bêbada,
Que sempre me invadiu,
Se quebra,
Se desbarranca pela doce
Corda da depressão cega.
Estou aguado,
Sutilmente comprometido
Com todos.
Mortalmente atado ao meu fértil contínuo.
Até quando esta desesperante
Bravura _____ que me
Pede silêncio?
Que me abre brutalmente
A alma como uma espada?

O estrangeiro

Nunca estive tão perto de mim mesmo
como agora, que desconheço o lume
da minha voz.

O ar me espera, ao lado de um
charco de águas quietas
estou sendo perfurado, dobrado para
dentro pelo tempo
sem espera.

Mãe! Mãe!
Que sem você me esqueço
Filho! Filho! As ferrugens do
caminho...
Mãe! Mãe!
Que sem você me esqueço
Filho! Filho! As ferrugens do
caminho...
Mãe! Mãe!
Meu último grito!
Mãe!... As cruzes do caminho
Meu filho, meu forte filho
enquanto um canto vago se desprende
do meu jardim de sonhos
junto ao jardim das minhas neves
minha fronte fria jamais busca apoio.

Pelo vão das sombras
Que fogem
Deixo escapar meu grasnido de cão fiel
A membrana ajuda do
Côncavo sem lua cheia
E a paz incolor do vertebral
Rompido o silêncio.
A longa cabeleira dos
Momentos
Que não passam feito ar,
Mas como incesto entre o vento
E a dúvida.

A prostituta do poeta
ganha corpo na minha vida
e se apresenta dormindo.
Não me conhece?
Sou Lídia ou Miriam.
Que você achava que era jovem, torpe,
pensavas encontrar o quê?
Afinal, nada.
A estética ou a atrofia
dos sentidos.

Porque tenho guardiães tácitos
longe, muito longe
amigos do tempo da dor
luas crescentes sobem pelo espelho do tempo
minúsculas sementes emigram da minha paz
porque vivi alçado com ele
farpa da dor sobre o púbis
é que sei
que tenho guardiães tácitos
longe, muito longe
verdadeiros amigos do tempo da dor.

Quero me levar para o exílio
com uma espada
e amarrar um olho
e chorar muito
para não recordar jamais
para não recordar jamais
o amor que dançou na minha frente.

Quem é o dono do meu silêncio?

Onde vão meus pensamentos sobre o mundo...
Em que ostra invisível se encontram encerrados os meus desejos?

Onde está e para onde vai a imagem que forma
e desejo perpetuar como única forma de continuar vivendo
que a impossibilidade de existir?

depois que o pensar se vai,
em que refúgio ou forma poderia eu existir
se o que eu penso ou sinto se desfaz...

que território estranho este de viver a pensar
como fazê-lo objeto presença para dividi-los com você
o outro quem eu quero quem sou?

que arrogância mais forte
querer perpetuar
este verso que flutua

Simulação do homem comum

De que que você vai morrer?

Eu? Eu vou morrer assim, tirar a pressão, ver que está perfeita, treze por oito, batimento cardíaco 59. Vou dizer: "Bárbara, vai fazer a tua ioga que te faz bem", e aí, nesse momento que estou sozinho, eu tenho *puf!* algo, um piripaque, algo interessante, uma sinapse cardíaca, não quero coisas vulgares, daí eu caio e morro, num fim de semana tranquilo.

— — —

Como eu dirigiria a morte? Calma... Aí o Jornal Nacional, *O Globo*, a imprensa vai querer falar do meu obituário no *Estado*, quem que vai escrever o meu obituário no *Estado*? Vocês vão deixar o cara do *Estado* escrever o meu obituário? Ou vão chamar alguém pra escrever sobre mim?

> *Quem você quer que escreva?*

Ah, eu acho que alguém curioso pra escrever o obituário seria o Drauzio, que me conhece bem, ou quem, que outra pessoa poderia escrever, alguém que me odiasse.

> *Você quer alguém que te odeie escreva o seu obituário?*

Quero, quem seria?

> *Tanta gente...*

Que me odeia? Porra, não me assusta, vou morrer mais cedo, então, vou aguentar um pouco mais e enfrentar esses caras, quem são os que me odeiam? Fala, dá os nomes, seja corajosa, você é uma cagona.

> *Nós estamos fazendo a direção da sua morte.*

Então, quem são os que me odeiam?

> *Ah, mas eu não consigo falar um. Hector, escuta, de novo, volta, esquece quem te odeia. Como seria?*

Eu gostaria de estar vestido.

> *Como?*

Quando me encontrassem eu gostaria de estar com a minha calça de capoeira.

> *Não vai dar tempo de trocar correndo, você vai ter que usar a calça todos os dias.*

Está aberto e o cordão pode ir embora.

> *Você vai querer ser enterrado com a calça de capoeira?*

Não! Aí não! Aí já é demais.

> *Como você quer ser enterrado?*

Deixa eu pensar.

> *Terno, né?*

Calma. Pensando que terno, tem um terno... que eu gosto muito, comprar para morrer seria ridículo.

> *Eu vou comprar pra... Qual? Da Etiqueta Negra? Me dá o modelo logo.*

A vendedora Ticiana sabe.

> *Que cor?*

Cinza.

> *E a gravata?*

Ah, uma gravata, eu gosto tanto dessa gravata minha de bolinhas e nunca encontro nada que combine.

> *Não é da Paul Smith, é da Prada.*

Não, é da Paul Smith.

Nada de echarpe?

Não, vai que eu me enforco, ou enforco alguém. Eu te pergunto, você não vai vir comigo no caixão? Você não me disse que não pode me deixar sozinho porque tem que me vigiar? Eu quero evitar crimes, que você matasse alguém.

Você vai querer música?

No enterro? É, uma musiquinha baixinha.

Qual? Chopin?

É, eu queria, assim ninguém consegue ouvir o que vai falar, ninguém se ouve, aí viria o Danilo Miranda, o Pedro Hertz, toda gente jovem, não sei se o Raul viria? Médicos não, médicos não vão a enterros.
Mentira.

Falando sério.

São teus amigos.

Mas não viriam a enterro. Estou preocupado com quem vai ficar comigo no caixão. Isso é importante pra mim, tem que ser alguém que não seja chato. Ficar tanto tempo juntos, chato é foda, você não vai querer, né? Vai pular fora, eu tenho que ver quem seria.

*A gente pode ensaiar a morte do
caixeiro viajante.*

Eu não sou caixeiro. Bárbara, não seja ridícula. Você não vai no caixão, vai querer vigiar quem vai no caixão comigo.

*Bom, antes, o que aconteceu antes?
Pra gente simular a morte. Como vai ser?*

Estou com fome. Eu queria, assim que eu morrer, se for perto do almoço, eu queria que trouxesse um *beef tea* do Rodeio pra tomar no caixão, assim morto, enquanto espero. Eu não quero que me levem para a morte comendo comida de hospital, eu quero comer bem a última refeição. Quero ir comer no Rodeio.

Como vai ser? Eu estou fazendo o filme e vou começar assim, você falaria o quê? O que você falaria pra você? Morto.

Puta que o pariu, chegou. Porque todo mundo sempre diz: "Ah, você é um leão, morre e ressuscita, você é uma fênix... Com você é assim... Eu nem vou te visitar no hospital porque você vai ficar bom..." Eu sempre digo a mesma coisa... Mas um dia pode ser que eu não fique bom, eu não fico, eu não ressuscito. Eu vou querer levar umas coisas comigo no caixão.

Ah, não! O quê?

Queria levar a foto do Sérgio Camargo.

Minha não?

A sua? Sim, eu quero levar a sua [de] quando você era pequenininha, chiquitita, quando você ainda era um projeto de gente.

Você sabia que o Leon...

Quem, o Cakoff?

É...

O que tem o Leon? Ele morreu.

Pois é, mas posso te contar uma história? Ele foi convocado a escrever um obituário sobre você e ele escreveu.

Para mim?

Há muitos anos...

É? Mas quem pediu isso?

A Folha.

E está escrito?

Está.

Gente, que maravilha!

Teu filme começa assim...

Que você tá fazendo? Que maravilha! O que, alguém lendo o texto do obituário?

Não sei ainda, eu fui atrás de quem pediu, eu fui até lá, quem me falou foi a Renata, imagina só, ela falou o Leon já morreu e você ainda está aqui, e ele escreveu seu obituário, eu falei, como assim? E cadê esse texto? Ninguém sabe a data exata, mas deve ser lá pela data do transplante, não?

Eu já morri tantas vezes, e não acharam?

Daí acharam o texto, só que não está completo, até o fim, porque você não morreu, né? Olha que interessante. Só que ele morreu, olha que interessante que ele se foi e você não. Foi o Sergio Dávila que encomendou, cheguei a falar com ele, porque daí a situação foi assim: eu fui lá na Folha *pra descobrir quem foi que escreveu, quem foi que encomendou, pra*

> *saber por que encomendou etc. E aí eu descubro que o Sergio Dávila encomendou, e aí pra falar com ele eu tinha que gravar, né? Porque não adiantava eu chegar e falar, e ele vai me contar coisas, eu tinha que levar a câmera, então eu estava nessa etapa agora.*

E por que não vai com o gravador pegar?

> *Porque uma coisa é gravador, eu precisava pegar uma imagem, porque, e se for muito bom? Eu perdi esse momento, não dá pra se repetir, e aí eu falei com a secretária, eu estou esperando pra me receber, como é que foi, em que momento foi? Pode ser que não seja nada, o texto também não é grandioso.*

Você já leu? É uma merda o texto?

> *Não, é lindo, mas é uma visão quase divertida sua. Mas mais sua filmografia.*

O Jabor escreveu um obituário pra mim?

> *Não.*

Por que a gente não simula a morte e pede os obituários? Pra ver o que as pessoas pensam de mim...

> *Mas vamos fazer isso no filme, vamos fazer isso no filme. Você pede que escrevam um obituário... Vamos pensar num roteiro.*

Teria que ligar para o Jabor e dizer: "O Hector acabou de falecer, escreve um obituário".

> *Não, ele não vai fazer, ele vai chorar,
> vai vir aqui, vai querer ajudar.*

Eu me jogo no chão.

> *Não, vamos simular, vamos fazer assim,
> você diz assim pra ele: "Eu sei que eu estou
> morrendo e eu preciso que você escreva
> meu obituário".*

Eu transfiro pra você a responsabilidade de escrever o meu obituário.

> *Isso, daí você faz pra vários, Jabor,
> Drauzio. Vamos filmar isso?*

Filmar como?

> *Hector, eu estou fazendo um filme,
> vamos lá, começa-se assim: você ligando e
> dizendo, avisando que vai morrer e que tem
> tantos dias. "Eu quero que você, meu amigo,
> escreva o meu obituário." Você escolheria
> o Jabor, Drauzio, aí você vai ler todos os
> obituários. A segunda cena é você lendo
> todos os obituários de todos, lendo o que
> cada um pensa de você, o que acha?*

Você tem um final muito rápido, o final já aconteceu, eles escreveram e eu li.

> *Mas aí que está a graça, a gente está
> fazendo um filme, vamos...*

Acho que tem que ser mais dramático isso.

> *Eu não posso mentir, isso não se faz.*

Ligar pra alguém e dizer: "Olha, o Hector acabou de falecer".

> *Não, ninguém vai escrever um texto correndo assim, ainda mais amigo.*

Não?

> *Não.*

Como vai falar que quer o obituário, eu falei que... O Hector não queria que alguém escrevesse, ele queria que você escrevesse.

> *Vão ficar com muita raiva de mim, mentir desse jeito, Hector?*

Depois vão ver que era tudo um filme, vão ficar felizes da tua capacidade de persuasão.

> *Não, porque no filme não vão ler o texto do obituário inteiro, a história é mais você como personagem simulando sobre a própria morte. Vai ser interessante porque você nunca morre.*

Então eu não entendo, o que eu vou fazer?

> *Você que falou que queria pedir para as pessoas escreverem o seu obituário, eu te contei uma história que eu não ia te contar, que eu soube que o Leon foi atrás do teu obituário.*

Só essa história já vale.

Então deixa comigo, estou fazendo...
Deixa comigo...

É, não começa a gastar muito tempo com cada momento porque você vai ter um filme de 4 horas e 15, você tem que ter um poder de síntese, eu sei o que estou falando, você não vai fazer um seriado comigo, *A morte do Hector*, capítulos 1, 2, 3.

tal vez
tendré en cuenta el día
de mis enlaces.
o tan destinto - ; - - -

THE WINDSOR HARLEY HOTEL

quien soy yo, que quiero sentir y
no se lo que.
donde duele, si es que duele.

FRISON 3(

BLOCO

ESMERA

BAZA
RUA

hoy me levanté tarde y sin dolor
de las molestias rápidamente y tomé
dos tazas de café negro aprovechando
al máximo el aire que entraba
por la pequeña ventana que da al
patio de servicio.

hay palabras que jamas significaron
nada para mi. No es que yo no les
haya encontrado el significado enciclopédico, ni tampoco que las haya
diluido con arsénico mental. Sucede
simplemente que jamas existieron.
Yo veo en ellas la muerte de la luz, la
última salida del tunel de la
palabra para entrar en el mundo
de lo hecho, de lo representable
de lo visto, o sea lo real.
           Austria   /Zalsburg
   manganasse

Se corrompe
Se deshace
Se recompone.
granito.
y de ella emerge
un tótem
silencioso
y terminal.
Alado y
jovial y
simplemente
eso.

Muerte de Pablo

La muerte.
Se murió
de Pena
al verlo olvidado
de olvidarse de su existencia
habría muerto antes.

No hubo trueno
ni Paz.
hubo.
lo que Puro.

O REI DA NOITE

BLOCK

LIBRO 1

de 1 a 38

BORRADOR

Rubén Darío Latictano

Wien cubito

CARTA
200 hojas

INDUSTRIA ARGENTINA

Te vigilo constantemente
o al leer me sonríes
o me voy inmediatamente
del grupo.

no me olvides

te amo verdaderamente

    te beso con dulzura

      Hector

Foto Masis
14 DE JULIO 1163 - MAR DEL PLATA
1948

BRUSSELS: Cathedral of St. Michael
BRUSSEL: St. Michiel Kathedrale

mir, vía no me apuro, ya la monda va tra
Stal di vendita fue para el 30 de noviembre
staria de vuelta en S.P. con Janko. En todo caso
así que llega me comunicaré con usted.
Aquí tenemos enecadería como Dios
un reloj. ¿Hace 20 días que me comunica
trabajando como loco, filmando como
desde las 8 de la mañana
hasta las 10 de la noche más o menos.
Pavor. Si Dios quiere el trabajo
va salir bien, debe ser la
cuenta personalmente las
ciudades de Europa. Hola
Abrazos a todos Hector

Flia. Babenco
Calle 56 N°: 675
La Plata Pcia. Bs. As.
Argentina.

AIRMAIL

ESSEX HOUSE

Vi, vida leves
que se pure mi
dolor de su imagi-
nación.
¿ Cómo tratarle?
qué decirle?
Lo imponderable es lo real
~~lo que te hacen~~
~~lo que te hace~~ sucede

¿Que es lo que no se siente, que es lo que se supe, que es lo que no se ama, que es lo irrazonable, el viento tesonero mueve y vuelve a mover las ramas y las hojas de los arboles y permanecen estáticos en su movimiento, la musica se oye y tambien permanece implacable su ritmo es de acero. ¿esta todo perdido? el mundo no lo sabe. que es la alegria de sentirse mundo, no de lo sabe. y Cristo, ¿donde esta cristo?

Grupo da Casa

Hector Babenco
professor
7/2/46 / Ginástica

viento loco
w me gime
petendom caobos
                a los pies

mutilado ejes
se perder en sueños
s/enlodos sonrisa
mientras
l esqueleto
agudo
hasta
viril
como nuve.

el mar de la juventud
y mis brazos.
Yo soy
nuevamente
mi amor,
si me vieras que tristemente
ridícula
yo, aquí en este cuartucho
sola con mi ropero rojo
con los pechos
y el clavel.
———

Dez mandamentos

Quais seriam os dez mandamentos de Hector?

Meus dez mandamentos? Aiiiiiii.

1. Apoiar o impossível da forma mais discreta possível.
2. Tentar que o momento vivido não se pareça com o anterior.
3. Que a vontade de fazer algo não seja a tua motivação primeira.
4. Faça, não diga o que faz.
5. ?
6. Não se diz nada, ninguém entende nada.
7. Estamos sós.
8. Continuamos sós.
9. Não há nove.
10. Morri.

Antes de eu morrer eu queria comer uma pizza com *fainá* a Buenos Aires, eu queria comer uma *bouillabaisse* em algum restaurante no sul da França.

Eu queria porque eu queria que muitas pessoas sentissem a minha falta e que ninguém saiba que estou vivo morando em Hong Kong, casado com aquela deusa do cinema Chung Ching Lee e lendo os obituários, fumando um bom charuto num belo apartamento com vista pro mar, em Hong Kong com Chung Ching Lee...

Você sabe que eu sou uma pessoa que tem muita doença, que requer cuidado, e eu o que penso de você? Penso que você vai ser uma pessoa que vai fazer más escolhas ótimas, você está cada vez melhor como ser humano, então você não vai morrer fracassada. Você vai para um monge de clausura? Não. Vai continuar trabalhando, vai ter que sobreviver, vai me amar a distância, vai sofrer, vai ficar bem, vai continuar a vida, e eu em Hong Kong, longe de você, graças a Deus com Chung Ching Lee que não tem o meu telefone celular, não sabe o que eu falo... E aí também eu vou perceber que estou em Hong Kong e que não tenho pra quem ligar e que ninguém me liga porque acha que eu estou morto. Aí vai ser foda, aí é um momento de reinventar, começar do zero.

Em Hong Kong, que é um país que se libertou da educação inglesa e que é um centro financeiro, uma cidade que tem característica de terceiro mundo, não tem pobreza, miséria e muito poder financeiro, deve ter bons restaurantes, e estarei em Hong Kong porque lá ninguém vai me encontrar com Chung Ching Lee, e você montando, chorando, olhando o filme que não existe mais, tudo digital, virtual agora...

Eu, se fosse você, eu encomendava um robô parecido comigo.

Só vou dormir com ele.

Ou você faria um objeto inanimado, pega um artista e pede um Hector pra ele. Aí você vai ter o Hector para dormir, assim vai ter companhia.

Tell Me When I Die

... A gente deveria chamar todos os amigos para morrer, ligar e dizer: "Gente, eu vou morrer, passem por casa... A gente vai cozinhar algo, a gente precisa comer algo legal, gostoso, sei lá, uma carne de forno, uma boa saladona gostosa, um pudim de doce de leite, bom, verdadeiro, sem adoçante, fazer umas caipirinhas boas, umas boas pingas, fazer um bom *casting*...". Deixa eu ver quem eu chamaria. Eu chamaria o Paulo José, a Maria Luíza é uma mulher muito divertida, muito neurótica... Chamaria a Fernandinha, a Fernandona, chamaria o Andrucha, que é um personagem, chamaria o Isay, o Nê, a Carmo, Beth e o Paulo Francine, Tuta, Phillipe, Renata... Quem mais eu chamaria? Drauzio...

É, tem que ter um médico, no dia da minha morte tem que ter um médico, alguém tem que ouvir o coração, e dizer: "Parou" ou "Morreu, mas o coração não quer parar, quer continuar".

Não adianta, eu não consigo, porque eu não vou morrer, está entendendo?

Eu não posso simular o que eu sei que não vai acontecer.

21:04:25

Você não vai morrer nunca?

Um dia, como diz o poema: "Me moriré en París con aguacero, un día del cual tengo ya el recuerdo." Eu já vivi a minha morte, só falta fazer o filme, só falta fazer o filme da minha morte.

Como será?

Não tenho a menor ideia, eu acho que vai ser um solilóquio, acho que deve se dar o espaço de novo à palavra, acho que tem que ser um filme falado, narrado. É, tem que escrever esse texto, ontem me deu um surto e comecei a falar umas coisas para mim, coisas tão interessantes, tão poderosas e não tinha papel, não me lembro mais. Eu tinha que ter gravado...

22:10:01

... Bom, este é o sonho do dia 31 para o primeiro, agora vai um do dia 30 para 31. Eu não me lembro onde eu estava nem por quê, mas me entregavam uma geladeira daquelas de piquenique, não de isopor, uma profissional, bonita, de plástico cor azul, azul-marinho com todos os meus documentos, com todas as minhas tomografias, radiografias, exames de sangue... Enfim, com toda a minha história clínica para eu viajar para os Estados Unidos, acho que era Estados Unidos, para ter um diagnóstico final de fato do que eu tinha. E, de repente, estou no aeroporto com aquilo, e estou fazendo, acho que eu faço check-in, aquela mala vai, enfim, não havia mala, havia simplesmente aquela geladeira. E não sei bem em que momento alguém veio me dizer, a companhia aérea ou alguma autoridade, vou perguntar pela segunda vez se a geladeira tinha ido bem para o avião, uma coisa assim, de que um comitê, uma comissão, enfim, uma inspeção viu que haviam documentos demais e decidiram tirar alguns deles e eu fiquei muito histérico porque eu disse: "Pode ser que vocês tenham tirado algo que pra vocês pareceu que não era importante e que para o meu dossiê é muito importante, é uma irresponsabilidade alguém ter feito isso, por que que diferença tirar um pacote com mais papéis ou com menos papéis, menos lâminas ou mais lâminas, né?". E eu digo: "Eu quero falar com a pessoa que fez isso, porque isso pode alterar o resultado do estudo sobre o meu caso". E aí me mandam falar num lugar, atrás de um balcão, eu entro, ando. Eu estava em Congonhas, de repente, não estava mais no aeroporto internacional e eu sabia exatamente o percurso da rua por fora que fazia o aeroporto, e eu entrava por dentro das entranhas do aeroporto, eram corredores, e a cada sala que eu abria, batia e abria, pra ver se eu encontrava essas pessoas que tinham decidido isso. Eu encontrava coisas mais estranhas, encontrava um laboratório químico com um monte de técnicos trabalhando com provetas numa mesa de trabalho; ou entrava num lugar que tinha um monte de costureiras trabalhando; ou entrava num outro lugar que era um açougue; porém, tudo era branco, as carnes eram brancas, tudo era branco; e à medida que ia me aprofundando nas entranhas do aeroporto, eu ia tendo consciência, gozado isso, de exatamente em que lugar eu estava se eu estivesse na rua, era como se eu estivesse paralelo ao aeroporto, ou indo em direção ao fundo dele, e em determinado momento vejo que não é, abro uma porta e eu estou na calçada, a uns dois quilômetros do aeroporto, como se eu estivesse naqueles hangares que tem lá embaixo, longe, e eu olho o relógio e é uma hora e cinco, e o voo era uma hora e vinte da tarde, e eu estava longe e digo: "Gente, eu não andei tanto para estar tão longe". Estava desolado, tinha um trânsito muito rápido, muito forte, muito veloz, que não parava, era uma calçadinha muito estreita e, de repente, eu começo a voltar e, de repente, eu estou, mando trazer de volta. Estão me esperando, dizendo que eu era talvez o último passageiro, ninguém me diz nada, mas eu tinha a sensação de que o estande já estava vazio, e eu chego lá e está a minha caixa. Sem eu ter pedido, está o meu frigobar, sei lá como chama aquela merda da geladeira, e eu decido abrir pra ver se estava tudo em ordem, se faltava alguma coisa, a ao abrir vejo que ela está vazia, ela só tem um restinho que seria uma água podre, água velha, que ficou de algum momento que aquela geladeira foi usada de verdade, já ficava claro que não havia nada naquela geladeira, ou seja, não é que roubaram, não havia absolutamente nada, estava vazia. E, nesse momento, eu acordei.

25:02:00

Estava de uma forma um pouco meio sem objetivo, ou um objetivo que não sabia pra onde, dentro de um ônibus, andando perto da avenida Paulista, sabendo que teria que chegar em algum lugar nas alamedas, perto da Bela Cintra, que, de alguma forma, penso que é o único lugar que poderia me fazer lembrar. E que foi lá que eu fiquei, que era lá a casa dos meus tios quando eu cheguei ao Brasil. Ao ver que o ônibus não ia na direção que eu estava querendo ir, eu vi pela janela ainda, vi o Masp, vi vários hippies dormindo em *sleeping bag*, acordando com os primeiros raios de sol, todos eles tinham uma espécie de cobertores de lã vermelha, xadrez, pra se proteger do frio. E o sol batia muito forte através dessas árvores do Parque Trianon, em frente do Masp, que também foi o meu primeiro filme. Aqui são observações que estou fazendo depois de ter lembrado o sonho. Eu desço do ônibus e vou procurando uma outra condução que me leva ao lugar que eu vou, porque aquele, apesar de eu ter certeza que ia, não, ele ia por ruas que eram contramão, que eu sabia de cor por onde subia, era a Peixoto Gomide, Ministro Rocha Azevedo... Então eu descia, achando estranho e andando perto de um bueiro na calçada, não no asfalto, um bueiro que estava entre o cimento da calçada e uma parede, havia uma grade de ferro, daquelas que se levantam, e estava dormindo uma criança sozinha, coberta com um cobertor que não era muito grosso para aquele frio. E eu me abaixo e vejo que aquela criança é algo minha, é como se fosse parte de mim, como se fosse eu, como se fosse minha filha, como se fosse uma neta, era algo que me pertencia, e eu: "Puxa vida, como que deixaram esta criança dormindo aqui, meu Deus!". E eu me levantava, mas a criança estava muito bem, respirando bem, eu estava com um casaco marrom que eu comprei com o primeiro... Muito bonito, de um designer japonês, que eu comprei numa loja quando eu recebi o meu primeiro pagamento do filme *Ironweed*, que foi a primeira vez que fiz um filme que me pagaram pra fazer, que, de alguma forma, resume a consequência da minha obra como *self-made man*... E ela se encaixa dentro do meu sobretudo, que é largo, os pezinhos dela entram um pouco dentro da minha manga, eu abraço, está tudo bem, tudo tranquilo, continuo andando com ela e, de repente, em algum lugar, aparece a Myra, com três ou quatro pessoas que não sei quem são, estavam saindo pra ir em algum lugar numa boa, e eu disse: "Olha o que eu achei dormindo, como vocês deixaram?". E ela disse: "A empregada viajou, saiu de férias, não me lembro, ah, foi uma noite que aconteceu, mas ela dormiu ao pé da minha cama", falava a Myra. E eu, de alguma forma, vi a criança, e a criança abriu os olhos, estava feliz, radiante, precocemente pelo tamanho pequeno que ela tinha, ela me olha, me reconhece um pouco, há um sinal de vida muito forte nos olhos da criança, abre quase um sorriso, mexe os bracinhos e, de pronto, eu ouço no meio dessa brincadeira: "Estou com merda até o pescoço". E eu achei estranho que uma criança tão pequena tenha falado isso, eu não vi ela mexer os lábios e aí a Myra, ao ouvir isso, ela pega a nuquinha dela e a vira um pouco. E de fato havia dois pedacinhos de cocô marrom claro, um detrás da orelha e outro um pouco mais embaixo, como se estivessem saindo da roupa dela, do pescoço pra cima. E a criança não estava chorando, nenhum momento mostrou mal-estar, nada, eu acho que aí eu acordei. O sonho, hoje dia primeiro, de 31 pra primeiro de janeiro, e na noite anterior, na noite do 30 para 31, eu sonhei, como que era o sonho, como começava, espera, para um minutinho, está vendo como a gente esquece...

26:13:11

Os trópicos não são bons lugares pra viver, apesar que a chuva e os ventos... Tão lindos... Moravam em Paris quando nasceram.

De quem que é esse poema?

28:51:13

Eu passei a contar coisas que realmente me aconteceram... Hector Babenco...

> *Não, não precisa falar Hector Babenco, de novo.*

Este filme conta, não, este filme conta de forma ficcionalizada.

> *Não gosto.*

Não, ficcionalizado é feio.

> *Nem a pau. Não vou ver um filme assim.*

Este filme conta a história, como disse?

> *Vamos lá, este filme é parte da minha vida.*

Não.

> *Este filme...*

Decidi contar esta história antes que seja tarde demais, os fatos nele narrados. Não, está muito óbvio. Vamos de novo. Este filme conta fatos, coisas... Não... Não pode contar o filme.

> *Não, nada.*

Este filme é baseado em fatos que realmente me aconteceram...

> *Não gosto disso Hector, é ruim, não é em fatos e, realmente, não aconteceram. Este filme...*

Tive que contar este filme antes que seja tarde demais, não...

> Eu acho que por aí, só tem uma coisa faltando... Hector, sobre o que é o filme?

Parte de mim...

> Estou te perguntando, sobre o que é o filme?

É uma versão ficcionalizada, reinventada de fatos, de coisas, de situações que realmente me aconteceram.

> "Fatos que realmente aconteceram" é quase uma biografia sua, Hector. É uma parte da sua vida. Eu poderia dizer até que é o segundo ato do Coração iluminado.

Então uma frase como a do Freud é muito mais interessante, não conta nada e ela é mais abstrata.

> Então, talvez, a frase baseada na história da minha vida, alguma coisa assim, tinha que estar escrito antes de começar o filme, não no final. Se você quiser que as pessoas saibam que este filme é sobre você, coisa que você não queria antes. Você tem que contar uma história pra poder esquecer...

Inspirado...

> Não, inspirado eu não gosto. Esse filme é...

Baseado.

> Não gosto porque não é baseado, este filme é...

Este filme é coisas que aconteceram.

Este filme são os últimos anos da minha vida... Baseado é uma coisa muito baseada em uma história, nem inspirada em... Hector, Hector, estou tentando te tirar da zona de conforto.

Decidi contar esta história para poder esquecer. Hector Babenco.

Se eu soubesse que a dor era tanta, talvez nem tivesse insistido tanto em não conhecê-lo, mas como saber como seria a dor senão vivendo, acontecendo, nos levando...

Nossa... mão hábil e delicada ao caminho da salvação. Outra dor poderia acontecer se o acontecido não tivesse sido tão frágil, tão persistente, tão inimigo da felicidade...

O ser feliz, o que seria isso? Se não tivéssemos passado pelo caminho da dor, por que a dor é tão persistente?

Por que que ela nos afasta do lago infinito do ser, do poder estar, de poder conseguir o que não se conhece? De poder viver aquilo que nunca soubemos que existia... Até onde?

Esse dedo infame nos levará com a sua agressividade tão quieta, às vezes, até melancólica... Essa melancolia que é como uma espuma, um ar dividido, algo que desconhecemos, e por isso é tão intrigante e que nos deixa tão perplexos com sua infinita virtude de ser o que nunca mais poderá ser vivido ou acontecido...

Que me vem à cabeça pra dizer... Não quero perdê-la! Assim como não quis perder essa quando tinha dezesseis anos, sem saber por que, eu sinto que não quero perder essas aos setenta, sei lá, porque se são melhores ou piores, não interessa, porque quero.

    Depois, eu ainda estou me surpreendendo, estou me surpreendendo da facilidade com a qual estou me recuperando, e eu acho que eu posso me recuperar, eu já estou me recuperando! E o que eu vou fazer agora é um rito de passagem, vou ter que fazer, por uma coisa, eu vou tomar um remédio todo o dia, ou como alguém que tem um marca-passo, ou como alguém que, sei lá, fez um transplante de válvula cardíaca ou tem que conviver com esta bombinha, que pelo visto não é nenhuma ciência, nem é uma coisa maluca, eu vou em frente. O que eu preciso é da tua companhia, eu preciso que você não fique brigando comigo o tempo inteiro, calma, Bárbara, eu digo isso de coração aberto, que a gente fique, que a gente fique se atropelando, que você não acredite em mim, sabe, para com isso, porque, às vezes, você me trata como se eu fosse um bebê de quatro anos e meio: "Ele não tem comido a sopinha de purê de maçã!". Não é assim, Bárbara. Hoje de manhã, lá no consultório, você já começou com a perna errada, você começou dizendo alguma coisa que era não a entender a consequência do que estava acontecendo. Vamos primeiro falar do que está acontecendo e deixa que eles falem da consequência, eles que são as pessoas vestidas de branco, não somos nós que temos que dizer o que eu tenho. Se for a mesma coisa, ótimo.

Como foi? Quando você foi preso?

Eu e a Fiorella, que tinha 18 anos, apaixonados, roubamos um talão de cheque na pousada, e saímos gastando... E aí pegaram a gente... E lá dentro só tinham ex-presidiários e ladrão de banco.

Tipo Pavilhão 9?

Não, o que eu acabei de falar agora, uma convenção secreta de bandidos de vários países que faziam o mesmo tipo de furto, era um modelo de furto bancário. Você tem que entender que, naquela época, não havia computador em rede que edificasse as contas-correntes. Você vai no teu banco Itaú e põe... Enfim, naquela época se dava um golpe, abria uma conta numa determinada agência, eu sei parcialmente porque eu nunca cheguei a fazer isso realmente, e eles depositavam uma quantia enorme de dinheiro e a movimentavam, eles ficavam amigos do gerente, e num determinado dia, simultaneamente, em dez agências bancárias eles retiravam o mesmo dinheiro, não pergunta como... Havia uma marcação, um cara de uma agência ligava para outra e dizia: "Fulano de tal, que tem conta lá, o saldo está certo? Tá.". Então pagava, por exemplo, mais ou menos 20 mil *pounds*, naquela época não havia cheque, não havia cartão de crédito, as pessoas levavam muito dinheiro quando precisavam comprar um imóvel, uma transação comercial, comprar coisas, era tudo em dinheiro e eles davam este tipo de golpe e depois fugiam da cidade.

Mas como você foi parar lá?

Porque fiquei amigo de ladrões de banco no presídio e eles me mandaram...

Mas como você entrou nesse lugar que você não podia dentro da prisão? Você podia entrar?

Em que lugar?

Eu achei que era dentro da prisão.

Não, eu falei que era dentro de um restaurante que estava fechado.

Ah, eu não entendi.

Você não entende nada. Era um restaurante que estava fechado, chique.

Eu achei que era um galpão.

Perto do Museo del Prado, e quando cheguei lá dentro, era uma espécie de contravenção, tinha umas vinte pessoas, 25.

E você não quis entrar nessa?

Eu namorei a ideia de entrar na contravenção, mas eu acho que o chamado de querer ser, quando fosse grande, um Visconti era mais forte, ser um diretor de cinema. Depois, eu ia ser pai, não tinha nada, tinha que voltar para a Itália para o parto, não tínhamos um centavo, estávamos dormindo numa pensão de quinta, aí eu não podia pegar avião porque eu estava em liberdade condicional. Então não poderia passar no aeroporto, decidimos fugir de trem, mas aí o advogado, meu amigo Augustin Bernal, tinha uma irmã que trabalhava num escritório de advocacia e me conseguiu uma permissão para ela poder sair para ter filho.

Quer dizer que você poderia ser um grande assaltante de banco.

Não sei se um grande, mas um assaltante de banco sim, que eu acho que é muito mais meritório, muito mais saudável numa sociedade contemporânea, ser assaltante de banco do que ser diretor de cinema, isso não tem a menor dúvida. Teria o maior orgulho, eu teria adorado a ideia, obviamente, não se pensa nas consequências, mas o que eu senti de irmandade naquelas pessoas, o que eu senti [foi] uma sensação de família, de grupo, sei lá, uma união quase que fraterna entre essas pessoas. Foi muito bonito o que eu senti aquele dia. Foi um almoço, era uma mesa grande, meio nu, devia ter umas dezoito ou vinte pessoas, tinha gente que tinha vindo da Itália, da França, e eram todas pessoas que tinham uma vida criminal nas costas. Hoje em dia, qualquer um é criminoso, ou seja, a ideia da contravenção eu acho que está muito mais difundida hoje, motivada pelas injustiças sociais, do que naquela época. Naquela época ainda era uma coisa meio épica, meio romântico, ser ladrão de banco. Imagina você, acho que melhor do que ganhar a Palma em Cannes. Lógico!!! Se você ganhar a Palma em Cannes você não faz nada com ela, você não paga nem o teu aluguel. Você está comendo muito, né, menina? Depois você diz que você engorda, né?

Você acha que eu estou gorda?

Não, tá linda! Tá louca!

Deixa eu te falar uma coisa, você acha que por causa dessa prisão que você fez um outro filme antigo de prisão? Foi uma coincidência?

Ah, não, essa associação não tem nada a ver, bom, eu não acho, deixa que os analistas achem. Eu não acho, que filme de prisão? Fiz *O beijo da Mulher Aranha*. Era um romance, me interessava muito mais o conteúdo humano da história, o fascínio pelo cinema dentro da história, a ideia de transferência de personagem, a ideia de contar o filme. Acho isso muito mais interessante do que dizer: "É mais um filme de prisão", não é um filme de prisão. *O beijo da Mulher Aranha* poderia acontecer num elevador. Você ficar parado num subsolo durante dois meses e não conseguir consertá-lo, e mandam comida para as pessoas... Havia toda uma trama no livro do Puig que não tinha nada a ver com prisão, eu não acho. O *Carandiru* é o livro do Drauzio, o que eu posso fazer? É o homem que curou o meu câncer e, num certo momento, eu nem entendia o que estava fazendo lá no Carandiru. Ai, me cortou o olho! Agora, sei lá, pode ser um certo fascínio talvez, não sei, *peut être*?

Você não foi abusado?

Eu não, nem um pouco, jamais, não, nem um pouco, jamais. Eu fui abusado de criança, quando tinha cinco ou seis anos com os meus amiguinhos, mas eu não fui abusado no presídio, eu fui tratado como, ao contrário, os travestis me amavam.

Você deixava eles fazerem tudo, você não era abusado, você deixava (Ri)

Não, você não está entendendo o que era estar preso nessa época.

Lá, né?

Claro! Os travestis ficavam num outro pavilhão, em frente ao nosso, a uma altura de seis andares, com um precipício no meio, com uma distância de, no mínimo, dez metros. E era uma coisa visual, as portas deles se abriam de manhã cedo e as nossas também e a gente via elas arrumadas fazendo, acenando pra gente, e algumas ficaram amigas de mim porque eu me lembro de ter roupa lavada, passada.

Sério? Como: "Ficou amigas?".

Você não está entendendo.

Você não podia cruzar.

No pátio, às vezes, você falava com algumas, vestidas de homem, não podiam sair montadas.

Depois que você saiu dali, você não encontrou nenhuma.

Não! Não.

Não se apaixonou por nenhuma lá dentro?

Prostituta?

Travesti.

Bárbara! Como? Você não conhecia ninguém, você tá louca! Não! Não, jogava pelo Tabasco, todavia fazia parte de um time, tinha toda uma história, era amigo de um inglês que foi executado, que foi morto porque tentou matar o General Franco com a dinamite, eu tinha outras pessoas, tinha um mundo lá dentro. Mas era muito solitário, você passava horas e horas, você ficava encerrado lá, era uma prisão.

O teu pai sabia que você estava?

Não, eu nunca contei aos meus pais, ao contrário, mandava cartas para a minha mãe dizendo que onde eu estava era tudo maravilhoso e tudo era lindo. Vamos sair pra rua?

Você acha que se entrar no... você encontra este documento dizendo que você foi preso na Espanha?

Estes documentos. Lógico! Se os arquivos estiverem disponíveis, o meu nome está lá, por que não estaria?

Nós estamos falando de 1960.

Estamos falando de 64.

Em plena ditadura aqui no Brasil.

Estamos falando de 63 a 64. Claro! Por que não teria um papel com uma foto? Fui fotografado, lógico.

Nossa, eu quero ver isso!

De uniforme.

Ah, tinha uniforme?

Era um preso.

Bom, preso no Brasil... Eu não tenho noção do que é um preso na Espanha.

Eu não me lembro, mas acho que era uma hora de pátio de manhã e uma hora à tarde, e o resto era confinado num quarto sozinho, numa cela sozinho. Tinha um buraco na janela, no vidro da janela que entrava um frio insuportável, era pleno inverno, ventava dentro do quarto. Eu ficava na cama deitado ou caminhando, por isso caminho tanto quando escrevo roteiros, fico passeando de um lado para outro, é uma coisa que vem do presídio, eu caminhava ida e volta. Você tem seis metros entre uma parede e a outra. Então uma coisa que se pode fazer na cela é caminhar. Ahhh, chega, né? Esse rapaz espanhol me remeteu a essa época, você entendeu?

Claro!

Entendiste, nena, vamos comprar um chupetin, você não sabe o que é um.

Último jantar

Amor, amor, vamos comer? Senão vai esfriar muito.

Hã?

São mais de duas e meia.

O que eu tenho hoje?

Você tem filmagem.

De quê?

Dos sonhos (Ri), não quer almoçar? Mas vai esfriar, sério, tá esfriando muito, vai comer bife frio?

Tudo bem você comer bife frio?

Não, não vou comer bife frio... porque já fritaram a carne?

É que a gente está no hospital...

Ahhhhh, estamos na Tchecoslováquia...

Estamos em Padova... Wake up.

Você já comeu algo?

Estou te esperando, tô com fome e você estava dormindo profundamente, tentei te acordar várias vezes.

Quê?

Tentei te acordar várias vezes.

Pra quê?

Pra comer.

Ah.

Porque senão vai baixar a sua taxa de glicemia, eles estão preocupados, eles não querem que baixe, eles querem que fique na medida. E a gente tomou café eram três e pouco, já tá na hora de comer... então eu vou chamar para fazer a glicemia, posso fazer tudo isso? (Ri) Não, não posso?

Você vai pra ginástica às quatro?

Dependendo do que vai acontecer aqui, vamos comer primeiro, depois a gente decide.

Vou descer, então vai.

Descer? Nada, vai acordando com calma, eu posso pedir pra menina fazer o destro?

Tem que fazer o destro?

Tem que fazer, né? Antes da refeição.

Ah, claro, estamos no hospital. Claro...

Sim... estamos no hospital.

Nós estamos no hospital e aí a gente vai montando a mesa de comida aqui pra gente comer e, também, já está esfriando, já está ficando frio.

Ah, Bárbara, tá tudo gelado...

Amor, mas eu não consegui te acordar, você estava dormindo.

Você comeu já?

Não, mas eu não me preocupo, é mais você, espera aí, cuidado com o teu pé, caiu uma meia. Samurai, por favor, você tira essa meia do lado de cá?

Tira esta daqui...

Ah, mas no chão não acho bom, cadê a outra? Ele vai primeiro no banheiro, a gente chama pra fazer o destro, aí a gente come.

Todo mundo já veio?

Já, já está tudo aí.

E cadê a outra?

Vou pegar, a laranja você não quer?

A laranja foi pra lavar, não foi pra lavar? Samurai?... Ele trouxe um monte de coisas.

[SAMURAI] Ah tem o chinelo dele.

Deixa eu ver qual que dá.

Você acha que este chinelo é bom para você? Vamos testar?

Este é o pé da bolha.

Não, mas é este que recomendaram.

Calma, meu amor, temos aqui uma bolha também, acho que não vai rolar, não, não vai rolar.

Calma, vamos ver primeiro.

A meia está aqui, ó, pode colocar no lado, aqui não pode colocar, só se deixar solto.

Eu sei fazer, aperta mais.

Deixa eu te explicar uma coisa, calma, aqui você tem uma bolha, não pode ir por cima, só se você cooperar, tudo bem assim? Então põe no outro, vê se dá, tá ótimo, só não pode machucar esta bolha. Doutora Vivian esteve aqui agora.

Quem?

> *A doutora Vivian, ela chama Vivian. Como você achou que ela chamava, Vivi?*

> [ENFERMEIRA] Com licença?

> *É o destro?*

> Isso.

Tenho que aguentar a maquininha, preciso me virar para andar.

> *Escuta bem o que eu vou te falar, tá? Em cima da bolha, não pode.*

Põe na bolha.

> *Eu não colocaria.*

Estou com frio.

> *Está com frio? Tem um monte de roupa, vou pegar.*

> Oi, senhor Hector, boa tarde.

Boa tarde, oi, fala.

> Vim trazer o crayon do senhor pra fazer o destro, já almoçou?

Magnífico! Não, estava esperando você para almoçar.

> Uma picada.

Faz mais uma.

> O senhor gosta?

Adoro.

Tá cheio de roupa, calça, camiseta...

Veio meu terno de *smoking*?

Não, o terno preto não veio.

174.

Gente, que alto!

Sabe por quê? Você tomou todo o meu suco de laranja, estava muito gostoso e você tomou.

Pode comer.

Antes que fique gelada a nossa comida.

Gente, de novo estou achando...

Que tá em casa?

Eu tô em casa.

O hospital é uma segunda casa.

Não, estou entendendo, esta confusão mental, eu estou achando de verdade que estou em casa, não é segunda casa, isso é uma brincadeira que você está fazendo, linda, eu vou descer a escada agora, tem escada pra descer?

Mostra a língua agora... Não, Hector, onde você vai?

Onde está a comida?

> *A comida está toda aqui... Olha, a gente deixou aqui, salada, bife acebolado, esse aqui tá bem quentinho.*

Lo más importante es que fueran mujeres que eso todo esto.

> *Todo, todo esto.*

> *O que o mister vai querer? Mr. Babenco, qué quieres, tá começando a ficar frio... Pão?*

Quero beber algo, me dá água, por favor.

> *Eu só vou pegar tomate, eu não como cebola.*

Eu não vou comer mal, corta o tomate ao meio, está muito grande.

> *Vou fazer isso, agora você vai ter que comer esta carne.*

Imagina, é tudo o que eu quero.

> *Se estiver ruim o tempero, você pode me despedir, tá?*

Es un acordo?

> *Come isso aqui.*

Meu amor...

> *Eu sei que é meu o seu amor, não? Falta sal? Tá aprovado? O que falta?*

Tomate? Não falta nada.

> *Gracias... Então me fala, qual é o filme que você levaria para uma ilha deserta?*

Boa pergunta... O passado é uma tormenta porque a gente sempre tem uma tendência a achar que o bom são as coisas que mexeram lá atrás; como se o tempo pra gente não existisse, você ganha memória e envelhece como ser humano. É o ciclo da vida, é o ciclo da vida.

> *O ciclo não é o passado.*

Não, você não está entendendo, é que eu não falei do passado. Falei do passado que carrega a nossa memória e do momento que a nossa memória está carregada, porque nos deixa um pouco, digamos, como velhos sábios das aldeias ou da cultura...

> *O pior é você não ter a memória hoje, o pior é perder essa memória, é tentar sustentar a memória, mas não fazer dela o seu presente e sustentar a memória, a memória que faz a gente.*

Construído de memória.

> *A gente é construído de memória, um homem sem memória...*

Mas eu digo que o preço é tão alto, porque a gente vai conquistando lembranças tão fortes de coisas que construíram a gente... E é como se agora estivéssemos perdendo tempo, é como se a parede de tijolos que estava sendo construída não tivesse mais espaço para cima. Acabou, como se nada mais estivesse acontecendo que justificasse estar vivo.

E onde ir buscar proteção? Deus? Deus está cagando, quem é Deus?

É tudo Fellini!

A infidelidade da minha alma,
que não me esquece
na verdade
me acopla, contando para mim
este ligeiro e ingênuo
rito negro
todo meu reino é deste mundo.
As vezes que pedi algo
jamais consegui...
Voltei revolvido com redondéis curvado
Dobrando-se as esquinas em
Intermináveis curvas de ódio.

Tudo era reflexo fiel e indiferente
de uma vida em que eu não
estava embarcado sem um ritmo
em que meu corpo que começava
a desenhar o perfil certo
desta marcha solitária em que
me prostrei.

I
No es rugido del aire
que no debe perdonar
ni la maléfica mirada de
un ser escondido entre los
astros de la medianoche.

II
Es la paz sana del perro tonto.

III
Esperar...
Por la respuesta que nos
abra disculpadas las marcas
hacia el tiempo.
Poder vencer con armas tácitas
el golpe de los hechos al verbo.

Se a cada homem fossem dadas
três imagens, apenas três imagens do
outro mundo para que ele se lembre
que a morte é um conto de velhos,
mas, não!, todos com a mesma
fome
se o jogo não tem
graça.

―――――――――――――――――――――――――――――――――――

Deus. Quando acabará
a raiva da minha mente?
Que maldita conclusão arde debaixo da minha fronte,
que palavras, que jogos
de acomodação ardem em minha
língua até quando
deliro de conhecimento?
Seja como for, eu abarquei
a ciência em minhas mãos
e as esculpi. Por quê?

Novamente
eternamente
plena de fé cega
o achado
és tu
sou eu
é o mistério
nossas solidões rondando o
mar
teu corpo gemido
minha paz cega
o caudal da minha espera
a vacuidade do teu engano
tudo és tu
e eu receberei esse tudo.

El extranjero

Nunca estuve tan cerca de mí mismo
como ahora que desconozco el lumbre
de mi voz.

Este suspiro infame que a cada tanto
passa pela minha garganta
é a impotência!
É a dor que sofre
pela própria dor.
É uma fuga inesperada de
nostalgias e solidões unidas
num coro imortal a duas vozes
e uma língua.
Estou atado à sociedade
por um instrumento carnoso
e de púlpito, chamado língua.
Acho que em toda a minha vida
a única coisa que fiz
foram constelações e infames
e vazias vibrações.

AGRADECIMENTOS

Myra Babenco, Janka Babenco, Drauzio Varella,
Maria Camargo, Rodrigo Fonseca e Leonardo Chagas.

Este livro foi escrito a partir de conversas que aconteceram durante a produção do documentário *Babenco – Alguém tem que ouvir o coração e dizer parou* [*Tell Me When I Die*], 2019. Dirigido por Bárbara Paz e roteirizado pela diretora e Maria Camargo.

© Editora Nós, 2019
© Bárbara Paz, 2019

DIREÇÃO EDITORIAL Simone Paulino
PROJETO GRÁFICO Bloco Gráfico
COORDENAÇÃO [POEMAS] Livia Deorsola
TRADUÇÃO [POEMAS] Eric Nepomuceno
PREPARAÇÃO Eloah Pina
REVISÃO Fabiana Lima, Daniel Febba,
Luisa Tieppo, Jorge Ribeiro
REPRODUÇÕES FOTOGRÁFICAS Ailton Silva
TRATAMENTO DE IMAGEM Wagner Fernandes
PRODUÇÃO GRÁFICA Lilia Góes

1ª reimpressão, novembro 2019

Dados internacionais de catalogação na publicação (CIP) de acordo com ISBD

B113m
Babenco, Hector
Mr. Babenco: solilóquio a dois sem um: Hector Babenco
Organização: Bárbara Paz
São Paulo: Nós, 2019
184 pp., 22 ils.

ISBN: 978-85-69020-43-1

1. Literatura brasileira. 2. Memórias.
I. Paz, Bárbara. II. Título.

2019-769
CDD 869.8992   CDU 821.134.3(81)

Índice para catálogo sistemático:
Literatura brasileira 869.8992
Literatura brasileira 821.134.3(81)

Elaborado por Odilio Hilario Moreira Junior
CRB-8/9949

FONTES Atlas Grotesk, Tiempos
PAPEL Polén soft 80 g/m²
IMPRESSÃO Imprensa da Fé